O Anel dos Löwensköld

O Anel dos Löwensköld

Selma Lagerlöf

Tradução de
CARLOS RABELO

1ª edição | 2021
Inédito no Brasil

Tradução do sueco
Carlos Rabelo

Preparação
Mariana Donner

Revisão
Karine Ribeiro
e Bárbara Parente

Capa e Diagramação
Marina Avila

Ilustração: Mdlne, Letônia.
Foto da autora: Desconhecido,
1909 in Les Prix Nobel

Edição
1ª edição, 2021, Viena

Dados Internacionais de Catalogação na Publicação (CIP)
(Câmara Brasileira do Livro, SP, Brasil)
Catalogação na fonte: Bibliotecária responsável: Ana Lúcia Merege

L 174
Lagerlöf, Selma
O anel dos Löwensköld / Selma Lagerlöf; tradução de
Carlos Rabelo. - São Caetano do Sul, SP: Wish, 2021.
160 p.
ISBN 978-65-88218-35-8 (capa dura)

1. Ficção sueca I. Rabelo, Carlos II. Título CDD 839.7

Índice para catálogo sistemático:
1.Ficção : Literatura sueca 839.7

Editora Wish
www.editorawish.com.br
Redes sociais: @editorawish
São Caetano do Sul - SP - Brasil

The cost of this translation was defrayed by a subsidy from the Swedish Arts Council, gratefully acknowledged.

Impresso em papel Pólen de reflorestamento.

O ANEL DOS LÖWENSKÖLD

Este livro pertence a

____

EDIÇÃO DE
COLECIONADOR

SU,
MÁ
RIO

O Anel dos Löwensköld

Löwensköldska Ringen

25

I

BEM SEI QUE, NO MUNDO DE ANTIGAMENTE, havia pessoas que nem sabiam o que era medo. Ouvi falar de uma porção de gente que gostava de passear em um lago que congelara na noite anterior, e que não podia imaginar prazer maior do que sair atrás de cavalo desembestado. É verdade que havia um ou outro que nem mesmo se esquivava de jogar baralho com o sargento Ahlegård, embora todos soubessem que ele fazia truques com as cartas para sempre sair vencedor. Conheço também alguns poucos destemidos que não têm medo de começar uma viagem na sexta-feira, ou de se sentar a uma mesa de jantar servida para treze pessoas. Mas me pergunto se algum desses teria tido coragem de pôr no dedo o terrível anel que pertencera ao velho general Löwensköld de Hedeby.

Era o mesmo velho general que deu aos Löwensköld o sobrenome, a terra e o título de nobreza, e enquanto um deles continuasse morando em Hedeby, o retrato do general permaneceria pendurado entre as janelas do grande salão do andar superior. Era um grande quadro que ia do chão ao teto, e num primeiro relance parecia ser do rei Carlos XII, em pose aprumada com capa azul, grandes luvas de camurça e enormes botas de mosqueteiro, firmemente mantidas sobre o piso xadrez. Porém, ao se chegar mais perto, via-se que era um homem totalmente diverso.

O rosto de camponês, largo e rude, despontava de dentro do colarinho engomado. O homem no quadro parecia ter nascido para seguir o arado até o fim dos seus dias. Apesar de toda aquela feiura, ele parecia um rapaz ajuizado, confiável e esplêndido. Se tivesse vindo ao mundo em nosso tempo, teria no mínimo se tornado comissário e vereador, e quem sabe não teria até mesmo entrado no parlamento. Mas como viveu nos grandes dias de reis heroicos, saiu em guerra como soldado pobre, voltou para casa como o renomado general Löwensköld e recebeu da coroa as terras de Hedeby, na província de Bro, como retribuição aos seus serviços.

Contudo, quanto mais alguém olhasse o retrato, mais se reconciliava com sua aparência. Era um modo de compreender como eram os guerreiros que serviram às ordens do rei Carlos e abriram um caminho entre a Polônia e a Rússia. Não foram somente aventureiros e cortesãos que seguiram o rei, mas também homens simples e sérios como aquele que se via no quadro, que estimavam seu rei e sentiam que por ele dariam a vida e a morte.

Quando alguém observava a imagem do velho general, um membro qualquer da família Löwensköld fazia reparar que não era de modo algum sinal de vaidade da parte do retratado o fato de ter removido a luva da mão esquerda para que a grande joia que portava no indicador aparecesse na tela. Ele tinha recebido aquele anel do rei — havia somente um rei para ele —, e o anel aparecia no retrato para atestar que Bengt Löwensköld era fiel ao seu soberano. O general deve ter escutado várias recriminações amargas contra seu comandante, e muitos tinham até a audácia de afirmar que a ignorância e a desmesura do rei tinham conduzido o reino à beira do precipício. Porém o general se aferrava ao seu rei sob qualquer circunstância. Pois o rei Carlos havia sido um homem que o mundo não vira igual, e quem quer que tivesse vivido perto dele tivera a oportunidade de perceber que havia algo mais belo e elevado pelo que lutar do que glórias e riquezas mundanas.

Do mesmo modo que Bengt Löwensköld quis portar o anel real no retrato, ele quis levá-lo ao túmulo. Quanto a isso também não havia nenhuma vaidade em jogo. Não era sua intenção se gabar de um grande anel real no dedo ao se apresentar diante de Nosso Senhor e dos arcanjos, mas talvez tivesse a esperança de que, quando entrasse no salão onde Carlos XII estaria cercado por suas mais afiadas espadas, o anel pudesse servir como um sinal de reconhecimento, para que mesmo depois da morte pudesse permanecer na presença daquele homem, a quem tinha servido e adorado por toda a vida.

Quando o caixão do general desceu ao jazigo que ele mesmo mandara construir no cemitério de Bro, o anel real permaneceu no seu indicador esquerdo. Foram muitos os presentes que se lamentaram por uma joia como aquela seguir para o caixão de um homem morto, pois o anel do general era quase tão conhecido e admirado quanto ele próprio. Contava-se que havia tanto ouro no anel que seria bastante para comprar uma fazenda, e que a cornalina vermelha em que estava gravado o monograma do rei não teria menos valor. Em geral, pensava-se que fora honroso da parte dos filhos que não tivessem se oposto ao desejo do pai e o deixassem conservar sua gema.

Se o anel do general fosse realmente tal como retratado no quadro, seria uma coisinha feia e desajeitada, que quase ninguém hoje gostaria de usar no dedo, mas isso não impedia que fosse mormente admirado duzentos anos atrás. Há que se ter em mente que todo ornamento e objeto de metal precioso, com apenas algumas poucas exceções, tiveram que ser entregues à coroa, pois foi necessário combater as moedas de Goertzen[1] e a falência do Estado, e para muitas pessoas o ouro era uma coisa da qual tinham ouvido falar, mas nunca haviam visto. Dessa maneira, aconteceu que aquela gente não podia se esquecer do anel de ouro que fora encerrado à toa debaixo de uma lápide. Pensavam até que era injusto o anel ficar lá embaixo. Podia ter sido vendido em terra estrangeira por alto preço e garantido o pão para muitos que não tinham outro alimento a não ser palha e casca de árvore.

Embora houvesse muitos que gostariam de ter a grande preciosidade em mãos, não havia ninguém que pensasse

1 Georg Heinrich von Görtz (1668-1719), conselheiro de Carlos XII e responsável por financiar o esforço de guerra. Após ter confiscado o dinheiro do povo, Görtz foi decapitado em praça pública.

a sério em se apropriar do anel. Ele estava dentro de um caixão parafusado, num jazigo murado, sob pesadas lajes de pedra, inalcançável mesmo para o mais ousado ladrão, e assim se pensava que o anel ali permaneceria até o momento do juízo final.

II

Em março do ano de 1741, o major-general Bengt Löwensköld adormeceu nos braços do Senhor, e alguns meses depois a rubéola levou a filhinha do capitão de cavalaria Göran Löwensköld, filho mais velho do general, que então vivia em Hedeby. Ela foi enterrada em um domingo após o culto, e todos os fiéis seguiram o cortejo fúnebre até o jazigo dos Löwensköld, onde duas enormes lápides foram postas lado a lado. O arco do jazigo fora quebrado por um pedreiro para que o pequeno caixão da criança pudesse ser colocado ao lado do avô.

Enquanto as pessoas estavam reunidas em torno do caixão e escutavam a cerimônia e os discursos fúnebres, não era de se estranhar que um ou outro pensasse no anel real, lamentando vê-lo enterrado em um túmulo sem proveito nem alegria para ninguém. Um ou outro também deve ter sussurrado ao vizinho que naquelas circunstâncias não seria impossível chegar ao anel, já que o jazigo provavelmente não seria reconstruído antes do dia seguinte.

Entre os muitos que estavam revolvendo esses pensamentos havia um fazendeiro de Mellomstuga, em Olsby, que se chamava Bård Bårdsson. De maneira alguma ele se contava entre aqueles que tinham chorado o anel quase a ponto de embranquecer os cabelos. Pelo contrário. Quando alguém falava sobre o anel, ele afirmava que pelo fato de ter uma fazenda tão boa não precisava invejar o general, mesmo que este tivesse levado um barril de ouro para o caixão.

Enquanto Bård estava no cemitério, ele, como tantos outros, pôs-se a pensar como era extraordinário que o jazigo estivesse aberto. Mas não ficou contente por isso. Ficou preocupado. *O capitão de cavalaria deveria pôr a laje do jazigo de volta hoje à tarde*, pensou ele. *Muitos cobiçam esse anel.*

Era algo que não lhe dizia respeito, mas naquela situação ele se punha a pensar mais e mais que seria perigoso deixar o jazigo aberto durante a noite. Estavam então no mês de agosto, e as noites eram escuras. Se o jazigo não fosse fechado naquele mesmo dia, um ladrão poderia descer sorrateiramente e se apropriar do tesouro.

Ele foi tomado de grande ansiedade e chegou a pensar em ir até o capitão de cavalaria para adverti-lo, mas tinha consciência de que as pessoas o tomariam por tolo, e não queria ser ridicularizado. *Tem toda razão*, pensou ele, *mas se você se mostrar muito intrometido, vão rir de você. O capitão de cavalaria é um homem inteligente, claro que já arranjou tudo para que o buraco seja tapado.*

Ele estava tão distante nesses pensamentos que nem percebeu que o enterro tinha terminado, e permaneceu ao lado do jazigo. Teria ficado mais tempo se sua esposa não viesse e o puxasse pela manga.

— O que é que você tem? — perguntou ela. — Fica aí olhando para um ponto fixo como o gato na frente do buraco do rato.

O fazendeiro estremeceu, ergueu os olhos e notou que estavam sozinhos no cemitério.

— Foi nada — disse ele —, eu só estava pensando...

Ele gostaria de falar para a esposa sobre o que estava pensando, mas sabia que ela era muito mais astuta do que ele. Ela apenas acharia que estava se preocupando à toa. Diria que, fosse o jazigo tapado ou não, esse era assunto do capitão de cavalaria Löwensköld e de mais ninguém.

Eles seguiram pelo caminho de casa, e quando Bård Bårdsson deu as costas ao cemitério, deveria se ver livre daqueles pensamentos, mas não foi o que aconteceu. A esposa falava do enterro: sobre o caixão e os carregadores, sobre a procissão e os discursos, e ele completava com uma palavra aqui e ali para não parecer que não sabia de nada e que nada tinha escutado, mas logo o som da voz dela se tornou um ruído distante. Seu cérebro começou a remoer as ideias que tivera. *Hoje é domingo*, pensou ele, *e talvez os pedreiros não queiram refazer o jazigo em dia de descanso. Mas nesse caso o capitão de cavalaria podia dar uma moeda ao coveiro, para que ficasse de guarda durante a noite. Seria tão bom se ele tivesse tido essa ideia!*

Como não poderia deixar de ser, ele começou a falar sozinho.

— Eu devia de todo jeito ter ido ao encontro do capitão de cavalaria. Não devia ter me preocupado se as pessoas vão rir de mim.

Tinha se esquecido completamente de que a esposa andava ao seu lado, mas voltou a si quando ela parou e cravou os olhos nele.

— Não foi nada — disse ele. — Foi só aquela mesma coisa que eu estava pensando antes.

Com isso, eles voltaram a caminhar e logo estavam diante da porta de casa.

Ele esperava então que aqueles pensamentos inquietos o deixassem, e assim teria acontecido se pudesse se empenhar em algum trabalho — mas era domingo. Quando as pessoas em Mellomstuga já tinham terminado de jantar, cada um foi para seu lado. Bård Bårdsson ficou sentado sozinho na casa e logo se viu tomado pela dúvida.

Ele se levantou do banco e num instante selou o cavalo e saiu, com prumo e determinação de cavalgar até Hedeby para falar com o capitão de cavalaria. *Se não fizer isso, o anel será furtado esta noite*, pensou ele.

Entretanto, não conseguiu concretizar o seu intento. Ele era tímido demais. E em vez de ir até Hedeby, foi a uma fazenda vizinha falar de sua preocupação com um fazendeiro que lá morava, mas não o encontrou sozinho, e mais uma vez se sentiu tímido demais para falar. E voltou para casa sem dizer nada.

Foi se deitar assim que o sol se pôs, com o intuito de dormir até a manhã seguinte. Mas o sono não lhe veio. A inquietação retornou. Ele só virava e revirava na cama.

A esposa obviamente não conseguiu dormir também, e afinal quis saber o motivo pelo qual ele estava tão preocupado.

— Não é nada — respondeu ele com o jeito de sempre. — É só uma coisa que estou pensando.

— Pois é, você já falou isso hoje várias vezes — disse a esposa —, mas é hora de dizer o que é essa coisa em que tanto pensa. Você não pode ter algo tão grave na cabeça que não me possa contar.

Quando Bård escutou a esposa dizer isso, teve esperança de conseguir dormir caso seguisse a sugestão dela.

— Eu fiquei aqui pensando se o jazigo do general já foi fechado — disse ele — ou se vai permanecer aberto a noite toda.

A esposa riu.

— Pensei nisso também — disse ela —, e acho que todo mundo que esteve na igreja hoje pensou a mesma coisa. Mas você não pode deixar algo assim tirar seu sono.

Bård ficou contente pelo fato de a esposa pensar que não era nada de mais. Ele se sentiu mais calmo e julgou que então conseguiria dormir.

Mas assim que se esticou na cama, a inquietação retornou. De todos os cantos, de todas as casas, ele viu sombras se aproximando devagar, todas saíam com o mesmo intuito, todas apontavam seus passos na direção do cemitério com o jazigo aberto.

Tentou ficar deitado sem se mexer para que a esposa pudesse dormir, mas sua cabeça doía e o corpo suava. Ele não conseguia parar de se virar constantemente.

A esposa perdeu a paciência e sugeriu em um tom zombeteiro:

— Meu querido, creio realmente que é melhor você descer até o cemitério e averiguar como está o jazigo do que ficar aqui deitado sem pregar o olho, se jogando de um lado para o outro.

Ela mal havia terminado de falar quando o homem pulou da cama e começou a se vestir. Pensou que a esposa tinha toda razão. Não dava mais do que meia hora de caminhada de Olsby até a igreja de Bro. Dentro de uma hora ele poderia estar de volta, e depois dormiria a noite toda.

Mas assim que ele saiu pela porta, a esposa se pôs a pensar que seria terrível se o marido fosse ao cemitério completamente sozinho, e ela também se levantou com pressa e jogou uma roupa sobre o corpo.

Alcançou o marido descendo o caminho de Olsby. Bård riu quando a escutou se aproximando.

— Veio para ter certeza de que não vou roubar o anel do general? — perguntou ele.

— Meu coraçãozinho! — disse a esposa. — Eu sei que você não tem esse tipo de pensamento. Eu só vim para ajudar, caso você encontre o *gravson* ou o *helhästen*.[2]

O casal andava a passos rápidos. A noite caíra e tudo estava escuro, a não ser por uma pequena réstia de luz no

2 Duas figuras mitológicas da cultura nórdica. *Gravson*, também conhecido como *gloson*, é um javali com cerdas cortantes, que são afiadas contra as lápides no cemitério. Conta-se que a criatura corre entre as pernas da pessoa, cortando-as ao meio. *Helhästen* é um cavalo sem cabeça, de três pernas, que causa a morte de quem o avista, e às vezes é cavalgado pelos mortos. O "*hel*" da etimologia da palavra remete à deusa da morte *Hel*, da mitologia nórdica.

céu a oeste. Mas eles conheciam o caminho muito bem, conversavam e estavam de bom humor. Eles só estavam indo ao cemitério para ver se o jazigo estava aberto, para que Bård pudesse enfim parar de remoer aquele assunto.

— Eu acho inacreditável que em Hedeby eles tenham sido tão descuidados a ponto de não reconstruir o jazigo sobre o anel — disse Bård.

— Logo vamos saber disso — falou a esposa. — Me pergunto se já não é o muro do cemitério aí ao lado.

O homem parou. Ele se espantou por ver a mulher com a voz tão alegre. Não era possível que ela tivesse uma intenção diferente da dele com aquela visita ao cemitério.

— Antes de entrar — disse Bård —, nós precisamos combinar o que faremos caso o jazigo esteja aberto.

— Esteja fechado ou aberto, não sei se temos algo a fazer, a não ser voltar para casa e nos deitarmos.

— É claro. Você tem razão — disse Bård e se pôs a andar. — Não podemos esperar que o portão do cemitério esteja aberto a essa hora — completou ele logo em seguida.

— Não importa — disse a esposa. — Vamos nos dar ao trabalho de pular o muro para visitar o general e ver como ele está.

O homem ficou espantado novamente. Escutou um leve ruído de pedrinhas caindo e logo viu a imagem da esposa delineada contra a réstia de luz a oeste. Ela já estava sobre o muro. Não era nenhum grande feito, já que não tinha mais que sessenta centímetros de altura, mas era impressionante que ela estivesse tão entusiasmada a ponto de subir antes dele.

— Olha aqui! Segura minha mão que vou te ajudar a subir — disse ela.

Num instante eles pularam o muro em silêncio, passando com cuidado por entre os túmulos menores. No momento seguinte, Bård tropeçou numa sepultura e quase caiu. Ele sentiu como se alguém tivesse estendido o pé para derrubá-lo. Ficou com tanto medo que chegou a tremer, e falou com voz bem alta para que todos os mortos escutassem o quão boas eram as suas intenções:

— Eu não teria vindo aqui por um motivo errado.

— Não, com certeza! — disse a esposa. — Você tem razão. Mas olha só, o jazigo está bem ali!

Ele divisou as lápides erguidas contra o enevoado céu noturno.

Num momento, eles estavam diante do jazigo, e o encontraram aberto. A laje não tinha sido reconstruída.

— Que descuido isso aqui — disse o homem. — Parece até feito de propósito para atiçar a pior das tentações naqueles que sabem o tesouro que se esconde aí embaixo.

— Pensam que ninguém ousaria fazer mal contra um morto — disse a esposa.

— Não deve ser divertido descer num jazigo assim — disse o homem. — Pular aí embaixo nem deve ser tão difícil, mas depois o sujeito fica preso feito uma raposa dentro da toca.

— Eu vi que eles colocaram uma escadinha de manhã — disse a esposa. — Mas pelo menos isso devem ter tirado.

— De qualquer forma vou procurar a escada — disse o homem tateando o buraco. — Não! Imagina só!

— exclamou ele. — Passaram de todos os limites. A escada ainda está aqui.

— Isso foi muita negligência — acrescentou a esposa. — Mas, sabe, acho que não faz muita diferença a escada estar aí. Porque ele, que mora aí embaixo, consegue defender o que é dele.

— Se ao menos eu tivesse certeza disso! — disse o homem. — Talvez eu devesse ao menos tirar a escada.

— Não! Acho melhor nós não tocarmos em nada — disse a esposa. — É melhor os coveiros encontrarem amanhã a cova exatamente como a deixaram.

Eles ficaram olhando para o buraco escuro, indecisos e confusos. Deveriam ter ido para casa, mas havia algo misterioso que os mantinha ali paralisados, algo que nenhum dos dois ousava mencionar.

— Eu podia deixar a escada — disse Bård finalmente — se tivesse certeza de que o general tem poderes para afastar os ladrões.

— Você pode entrar para ver que poderes ele tem — sugeriu a mulher.

Foi como se Bård estivesse somente esperando por aquela ordem da esposa. Num instante, ele estava junto à escada, descendo pelo buraco.

Mas assim que pôs os pés no chão, escutou um estalido na escada e notou que a mulher o tinha seguido.

— Ah, é? Você também veio? — perguntou ele.

— Não aguentei deixar você sozinho com o morto.

— Ah, não acho que ele seja tão perigoso — disse o homem. — Não sinto nenhuma mão fria arrancando a vida de mim.

— É, olha, ele não quer nada com a gente — disse a esposa. — Ele sabe que nós não pretendemos levar o anel. Mas é claro que seria diferente se por diversão começássemos a desparafusar o caixão.

Prontamente o homem foi tateando até o caixão do general e começou a procurar a tampa. Ele encontrou um parafuso, que tinha uma cruzinha na ponta.

— Tudo aqui parece ter sido preparado para ajudar o ladrão — disse ele torcendo o parafuso com cuidado e habilidade.

— Consegue sentir alguma coisa? — perguntou a esposa. — Não percebe algo se mexendo dentro do caixão?

— Está silencioso como um túmulo — disse o homem.

— Ele não vai pensar que nós queremos tirar-lhe aquilo a que mais dava valor — disse a esposa. — Mas seria outra coisa se nós levantássemos a tampa do caixão.

— Concordo, mas você vai ter que me ajudar — disse homem.

O casal abriu a tampa, e a partir de então já não havia a menor possibilidade de refrear o desejo pelo tesouro. Eles retiraram o anel da mão murcha, fecharam a tampa, e sem trocar uma palavra saíram sorrateiramente do jazigo. Eles se deram as mãos ao cruzar o cemitério e não ousaram dizer coisa alguma antes de terem atravessado o pequeno muro de pedras acinzentadas e alcançado a estrada.

— Começo a acreditar — disse a esposa — que ele queria que fosse assim. Ele entendeu que não é certo um homem morto conservar uma joia como essa, e por isso ele nos entregou o anel de boa vontade.

O homem soltou uma gargalhada.

— Você é muita boa nisso — disse ele. — Não, você não vai me fazer acreditar que ele nos deixou pegar o anel de boa vontade, na verdade ele não tinha nenhum poder para nos impedir.

— Sabe — disse a esposa —, esta noite você se saiu muito bem. Poucos teriam ousado entrar no jazigo do general.

— Eu não sinto como se tivesse feito algo errado — disse o homem. — De um vivente eu jamais tomei mais que uma moeda, mas que mal faz tirar de um morto uma coisa que ele não precisa?

Eles se sentiram orgulhosos e satisfeitos enquanto andavam e se perguntavam como ninguém mais tivera aquela ideia. Bård disse que viajaria para a Noruega para vender o anel assim que houvesse possibilidade. Eles acreditavam que receberiam dinheiro suficiente para nunca mais se preocupar com o futuro.

— Mas... — disse a esposa parando de repente. — O que é que eu vejo? O dia já começou a raiar? Está tão claro a leste.

— Não, não pode ser o sol se levantando — disse o fazendeiro. — Deve ser um incêndio. Parece vir na direção de Olsby. Não pode ser...

Ele foi interrompido por um grito alto da esposa.

— É a nossa casa que está em chamas! — gritou ela. — É Mellomstuga que está em chamas. O general pôs fogo nela.

Na manhã de segunda-feira, o coveiro chegou apressado em Hedeby, que ficava bem perto da igreja, para avisar que tanto ele quanto o pedreiro, que reconstruiria o jazigo, notaram que a tampa do caixão estava entreaberta, e que os escudos e as estrelas que o adornavam tinham sido deslocados.

A investigação começou imediatamente. Notou-se logo uma grande desordem dentro do jazigo, e que os parafusos do caixão estavam soltos. Quando levantaram a tampa do caixão, viram ao primeiro relance que o anel real não estava mais em seu lugar, o indicador esquerdo do general.

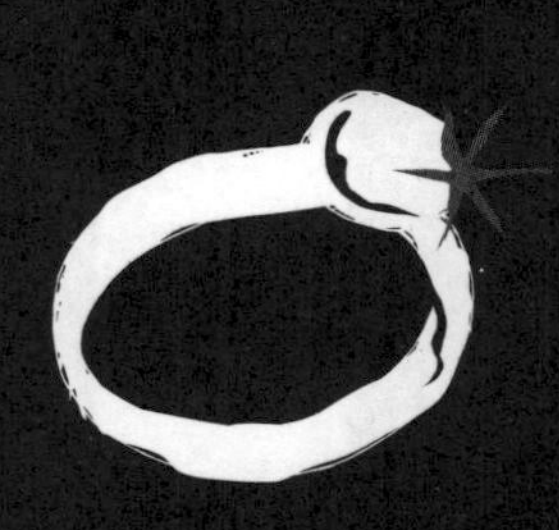

III

Quando penso no rei Carlos XII, pro-
curo entender de que modo ele era amado e temido.

Pois sei que certo dia, num dos últimos anos de sua vida, ele entrou na igreja de Karlstad durante um culto.

Ele chegou à cidade a cavalo, sozinho e sem ser esperado, e como sabia que era hora do culto, deixou o cavalo na porta da igreja e entrou atravessando o átrio como uma pessoa qualquer.

Assim que o rei passou pela porta, viu que o pastor já estava ao púlpito, e para não o incomodar, parou onde estava. Não procurou um lugar para se sentar nos bancos; em vez disso apoiou as costas contra o batente da porta e se pôs a escutar o sermão.

Embora ele tivesse chegado desapercebido, e embora se mantivesse à sombra do coro, alguém sentado nos últimos bancos o reconheceu. Era talvez um velho soldado que perdera um braço ou uma perna, mandado para casa antes da Batalha de Poltava[3], e que notou que o homem com o cabelo penteado para trás e nariz adunco só poderia ser o rei. E, no mesmo instante que o reconheceu, se pôs de pé.

Os vizinhos de banco devem ter se perguntado o que havia acontecido, e então ele sussurrou que o rei se encontrava na igreja. E incondicionalmente todos ao lado se levantaram, como se costuma fazer quando a palavra de Deus é lida do altar ou do púlpito.

Em seguida, a notícia se espalhou de banco em banco, e cada pessoa, jovem ou velha, rica ou pobre, os debilitados e os saudáveis, todos se puseram de pé.

Era então, como eu dizia, um dos últimos anos de vida do rei Carlos, quando as adversidades e os obstáculos surgiram, e dentro da igreja não havia uma pessoa que não houvesse sido privada de um parente amado, ou que não tivesse perdido uma propriedade por obra do rei. Se alguém por acaso não tivesse algo a lamentar por si próprio, então bastava pensar em como o país se encontrava empobrecido, como as províncias foram perdidas e como todo o reino estava cercado de inimigos.

Mas enfim, bastava ouvir o rumor de que aquele homem, que tantas vezes haviam amaldiçoado, estava ali, na casa de Deus, para que todos se levantassem.

....

3 Batalha de 1709 em Poltava, Ucrânia, em que os suecos liderados por Carlos XII foram derrotados pelas forças russas lideradas pelo czar Pedro, o Grande. A batalha selou o fim das pretensões imperiais da Suécia. Após a batalha, o rei sueco, com um grupo de sobreviventes, se refugiou por cinco anos junto ao Império Otomano.

E de pé permaneceram. Não havia ninguém que tivesse pensado em se sentar. Não era possível. O rei estava junto à porta da igreja, e enquanto lá se encontrasse, todos tinham que ficar de pé. Se alguém se sentasse, seria uma desonra ao rei.

Seria provavelmente um sermão demorado, mas era só ter paciência. Não queriam abandoná-lo ali, junto à porta da igreja.

Ele era de fato um rei-soldado, e estava acostumado a ver seus soldados morrerem de bom grado por ele. Mas naquela igreja ele estava cercado por humildes burgueses e artesãos, gente comum, suecos e suecas que jamais haviam batido continência. Contudo, bastava que ele se mostrasse diante de seu povo para que se pusessem sob seu jugo. Eles teriam ido com ele onde quisesse, teriam lhe dado o que pedisse, confiavam nele, o adoravam. Por toda a igreja agradeciam a Deus por existir aquele homem raro — o rei da Suécia.

Como disse, eu tento pensar sobre isso a fundo a fim de entender como o amor ao rei Carlos podia preencher a alma de alguém e se aferrar tanto em um velho coração duro e casmurro, a ponto de todas as pessoas esperarem que esse amor restasse mesmo após a morte.

Na verdade, depois que descobriram que o anel do general havia sido furtado, o que mais havia em Bro era espanto pelo fato de alguém ter tido a coragem de realizar aquele feito. Considerava-se até que mulheres amadas, que haviam sido enterradas com o anel de noivado no dedo, poderiam ser saqueadas sem perigo. Ou se uma mãe jazia ao sono da morte com uma mecha de cabelo do filho entre os dedos, ela poderia ter a lembrança arrancada de suas mãos sem temor; e mesmo se um pastor fosse deitado ao caixão com uma Bíblia por travesseiro, esta poderia ser levada por um criminoso sem nenhum porém. Mas que alguém nascido de uma mulher tivesse a ousadia de furtar o anel de Carlos XII do dedo do falecido general de Hedeby era uma empreitada que não se podia compreender.

Naturalmente foram feitas investigações que não conduziram à descoberta do criminoso. O ladrão veio e se foi sob a escuridão da noite, sem deixar nada que pudesse dar uma pista aos que procuravam por ele.

Nesse ponto, novamente todos se espantaram. Ouviu-se falar de fantasmas que voltavam noite após noite para indicar o autor de um crime a princípio muito menor.

Mas quando finalmente se soube que o general de modo algum abandonou o anel ao seu destino, e, pelo contrário, lutou para reconquistá-lo com a mesma amarga inclemência que teria mostrado caso o anel lhe tivesse sido furtado em plena vida, ninguém ficou nem um pouco espantado. Ninguém mostrava descrença nesse fato, pois isso era justamente o esperado.

IV

Quando o anel do general já estava desaparecido por muitos anos, aconteceu de, um belo dia, o reverendo de Bro ser chamado por um pobre fazendeiro, Bård Bårdsson, da região de Olsby. Ele estava nas últimas e precisava urgentemente falar com o reverendo. Este era um homem já velho, e quando soube que se tratava de visitar um doente que morava quilômetros adentro de um mato sem estrada, sugeriu que seu ministro fosse no lugar. Mas a filha do moribundo, que fizera o pedido, recusou firmemente dizendo que ou o reverendo ia ou não ia ninguém. O pai tinha avisado que precisava falar uma coisa que somente o reverendo, e mais ninguém no mundo, poderia saber.

Assim que o reverendo ouviu isso, pôs-se a consultar suas memórias. Bård Bårdsson tinha sido um homem bom. Na verdade, era um pouco tolo, mas por esse motivo não precisava sofrer aquela angústia no leito de morte. De fato, pensando de modo caridoso, o reverendo acreditava que Bård era um daqueles que tem dívidas com Nosso Senhor. Ao longo dos últimos sete anos, ele tinha sido perseguido por todos os sofrimentos e infelicidades que se pudesse imaginar. Sua casa pegou fogo, o gado morreu de doença ou destroçado por animais selvagens, a geada devastou sua plantação, de modo que ele se tornou pobre como Jó. Por fim, sua esposa, em desespero com todas as infelicidades, se deixou levar pelo mar, e Bård se mudou sozinho para longe, indo morar numa cabana que era a única propriedade que lhe restava. Depois desse tempo, nem ele nem seus filhos mostraram a cara na igreja. Muitas vezes tinha se falado acerca disso na paróquia, onde se perguntavam se aquela família ainda se encontrava na região.

— Se eu conheço bem seu pai, creio que ele não tenha cometido um crime tão grave a ponto de não poder se confessar com o ministro — disse o reverendo olhando para a filha de Bård Bårdsson com um sorriso de bonomia.

Ela era uma moça de quatorze anos, grande e forte para sua idade. Tinha o rosto largo, e seus traços eram rudes. Como o pai, também tinha um ar de tolice, porém a inocência infantil e a sinceridade luziam em sua face.

— Estaria nosso prezado reverendo com medo de Bengt, o Forte, e por isso não ousa nos visitar?

— O que está dizendo, minha criança? — inquiriu o reverendo. — Quem é esse Bengt, o Forte, de quem fala?

— Ah, é ele a causa de todos os nossos males.

— É sério? — disse o reverendo. — Então ele se chama Bengt, o Forte.

— O reverendo não sabe que foi ele quem pôs fogo em Mellomstuga?

— Não, nunca ouvi falar disso antes — disse o reverendo.

Então ele se levantou da cadeira e apanhou um breviário, além de um cálice de madeira que costumava levar consigo nas andanças pela região.

— Foi ele quem perseguiu a mãe até o mar — continuou a moça.

— Que coisa terrível — disse o reverendo. — Ele ainda é vivo, esse tal Bengt, o Forte? Já o viu?

— Não, eu nunca o vi — disse a criança —, mas claro que ele é vivo. Foi por causa dele que nós tivemos que ir morar no meio das serras bravias. Lá ele nos deixou em paz até semana passada, quando o pai machucou o pé.

— Quer dizer que foi culpa do Bengt, o Forte? — perguntou o reverendo com um tom de voz calmo, ao mesmo tempo que abria a porta ordenando o criado a selar o cavalo.

— O pai disse que Bengt, o Forte, tinha quebrado o machado, senão ele não teria se cortado. Não foi uma ferida grave, mas hoje ele notou a gangrena no pé. Disse que chegou a hora de morrer, pois Bengt, o Forte, pôs fim nele, e me mandou vir aqui pedir uma visita ao reverendo tão logo fosse possível.

— Eu vou com você — disse o reverendo. Enquanto a menina falava, ele já tinha posto a capa e o chapéu. — Mas há algo que não entendo — disse ele. — Por que esse Bengt, o Forte, é tão cruel com seu pai? Bård deve ter feito algo contra ele no passado, não foi?

— Sim, o pai não nega isso — disse a criança. — Mas ele jamais disse o que houve, nem para mim nem para o meu irmão. Mas creio que seja isso que ele agora queira revelar ao prezado reverendo.

— Então, se é assim — disse o reverendo —, vamos até seu pai o quanto antes. — Ele já tinha vestido as luvas e, ao lado da menina, saiu da sala para montar o cavalo.

Durante toda a cavalgada até a cabana o reverendo praticamente não disse palavra.

Ele refletia sobre os estranhos acontecimentos que a criança tinha narrado. De sua parte, só havia conhecido um homem chamado Bengt, o Forte. Mas era possível que a menina não estivesse falando da mesma pessoa, e talvez se tratasse de alguém totalmente diferente.

Quando ele adentrou cavalgando a propriedade, um rapaz foi ao seu encontro. Era Ingilbert, o filho de Bård Bårdsson. Ele era alguns anos mais velho que a irmã, crescido como ela e com traços semelhantes, embora tivesse olhos mais fundos, sem a mesma franqueza e simpatia dos da irmã.

— O caminho foi muito longo, reverendo? — perguntou ele enquanto o ajudava a descer do cavalo.

— Ah, sim — disse o velho —, mas foi mais rápido do que eu esperava.

— Eu que deveria ter ido buscar o reverendo — disse Ingilbert —, mas estava ao mar pescando e só cheguei tarde da noite. Só quando entrei em casa soube que o pai estava com gangrena no pé e que o reverendo tinha sido chamado.

— Märta se portou tão bem quanto um rapaz — disse o reverendo. — Tudo correu bem. Mas como Bård está?

— Ele está muito mal; mas está preparado. Ficou contente quando disse a ele que já se avistava o reverendo ao longe.

O reverendo entrou então na casa, e os irmãos se sentaram sobre duas grandes lajes ao lado de fora e ficaram a esperar. Eles tinham um ar solene e falavam sobre o pai moribundo. Diziam que sempre tinha sido bom para eles. Mas ele jamais tinha sido feliz depois daquele dia em que Mellomstuga ardeu em chamas, portanto talvez seria melhor se pudesse abandonar essa vida.

Nesse instante, a irmã disse que o pai devia ter algo que lhe pesava na consciência.

— Ele? — exclamou o irmão. — O que poderia ser? Nunca o vi levantar a mão contra um animal ou contra uma pessoa.

— Mesmo assim aconteceu algo que ele só contaria ao reverendo e a mais ninguém.

— Ele disse isso? — perguntou Ingilbert. — Disse que havia algo a confiar ao reverendo antes de morrer? Pensei que ele só queria a visita para receber a comunhão.

— Quando ele me mandou ir, insistiu que era para trazer o reverendo. Que é a única pessoa do mundo para a qual ele pode confiar seu grande e terrível pecado.

Ingilbert se pôs a pensar por um instante.

— Soa bem estranho — disse ele. — Talvez seja alguma coisa que ele tenha imaginado aqui na solidão. Deve ser uma daquelas histórias que ele costuma contar sobre

Bengt, o Forte. Creio que isso também seja somente fruto de sua imaginação.

— É justamente sobre Bengt, o Forte, que ele queria falar com o reverendo — disse a menina.

— Pode apostar que tudo isso é mentira — disse Ingilbert.

Em seguida, ele se levantou e foi até um buraco na parede da cabana, que permanecia aberto para que um pouco de ar entrasse naquela casa sem janelas. A cama do doente estava tão próxima que tudo que ele dizia podia ser ouvido por Ingilbert, e o filho escutava as palavras do pai sem o mínimo de peso na consciência. Talvez ele não soubesse que era errado ouvir uma confissão. Em todo caso, ele tinha certeza de que o pai não tinha segredos preocupantes a revelar.

Quando já tinha escutado por um tempo, ele retornou à irmã.

— Eu não disse? — começou ele. — O pai está contando ao reverendo que foram ele e a mãe que furtaram o anel real do velho general Löwensköld.

— Ó, Deus misericordioso! — exclamou a irmã. — Vamos dizer ao reverendo que é mentira, que é coisa que ele se põe a fantasiar!

— Não podemos fazer nada agora — disse Ingilbert. — Ele pode dizer o que quiser. Podemos falar com o reverendo depois.

Ele se esgueirou novamente até o buraco para escutar. Não demorou muito para que voltasse de novo até a irmã.

— Agora está dizendo que na mesma noite em que ele e a mãe tinham ido ao cemitério e pegado o anel, a fazenda em Mellomstuga pegou fogo. Ele está dizendo que acredita que foi o general que pôs fogo em tudo.

— Está na cara que é tudo inventado — disse a irmã. — Para nós ele já disse mais de cem vezes, com toda certeza do mundo, que foi Bengt, o Forte, quem pôs fogo em Mellomstuga.

Ingilbert voltou ao seu posto junto ao buraco antes que ela terminasse de falar. Ele parou ali e acompanhou tudo por um longo tempo, e quando retornou à irmã estava com o rosto ensombrecido.

— Ele disse que foi o general que o cobriu de tristezas para obrigá-lo a devolver o anel. Ele disse que a mãe ficou com medo e queria que eles fossem até o capitão de cavalaria em Hedeby para entregar o anel, e o pai a teria obedecido com prazer, mas ele não teve coragem, pois achava que os dois seriam enforcados se admitissem que tinham furtado de um morto. Mas então a mãe não suportou mais e decidiu se afogar.

De repente o rosto da irmã também se ensombreceu.

— Mas... — disse ela. — O pai sempre falou que, que foi...

— Claro. Ele acabou de explicar ao reverendo que nunca ousou dizer a ninguém quem foi que provocou todas as suas infelicidades. Somente para nós dois, que nada entendíamos, ele dizia que era alguém chamado Bengt, o Forte, que o perseguia. Ele disse que os camponeses costumavam chamar o general assim.

Märta Bårdsdotter se encolheu toda e permaneceu sentada.

— Mas então é verdade — sussurrou ela, tão baixo como se fosse seu último suspiro.

Ela olhou ao redor. A propriedade se encontrava à beira de um lago cercado pela floresta, e em volta havia montes escuros e revestidos de verde. Não havia nenhuma habitação à vista, não havia ninguém que a pudesse receber, caso ela fugisse. Ali se impunha uma grande e desconsoladora solidão.

E na escuridão sob as árvores, ela sentia como se o morto estivesse de tocaia, pronto para trazer infelicidades a eles.

Ela era tão inocente que não compreendia a vergonha e a desonra que os pais tinham portado, mas entendia que um espectro, um ser inclemente e todo-poderoso da terra dos mortos estava perseguindo sua família. Esperava vê-lo a qualquer instante, e seus dentes batiam de tanto medo.

Pensou então no pai, que por sete anos tinha vivido com o mesmo terror na alma. Ela tinha quatorze anos, e sabia que tinha somente sete quando Mellomstuga ardeu em chamas. Durante todo o tempo o pai sabia que o morto estava à caça deles. Por isso, se ele morresse, seria até bom.

Ingilbert tinha novamente se afastado para escutar e agora retornava para perto dela.

— Ingilbert, você acredita realmente nisso? — perguntou ela, numa última tentativa de pôr o terror de lado.

Mas então viu as mãos de Ingilbert tremendo e seus olhos vidrados de terror. Ele estava tão amedrontado quanto ela.

— Não sei o que pensar — sussurrou Ingilbert. — O pai disse que muitas vezes tentou viajar até a Noruega para vender o anel, mas nunca conseguiu chegar ao destino. Uma vez ele ficou doente, outra vez o cavalo quebrou a perna justo na hora de partir da fazenda.

— O que disse o reverendo? — perguntou a menina.

— Ele perguntou ao pai o motivo de conservar o anel durante esses anos todos, já que a posse dessa joia é um perigo tão grande. E o pai respondeu que achava que o capitão de cavalaria mandaria enforcá-lo caso ele admitisse o que fez. Ele não tinha escolha a não ser mantê-lo consigo. Mas agora, ao saber que vai morrer, gostaria de deixar o anel com o reverendo para que fosse sepultado no jazigo do general, para que seus filhos pudessem se livrar da maldição e voltar ao convívio das pessoas.

— Fico feliz pelo fato de o reverendo estar aqui — disse a menina. — Não sei para onde vou quando o reverendo for embora, estou com tanto medo! Sinto como se o general estivesse logo ali entre as árvores. Imagina só, ele anda por aqui todo dia nos vigiando! E o pai talvez o tenha visto.

— Acho que o pai já viu o general — disse Ingilbert.

Ele foi de novo até a cabana para escutar. Quando voltou, estava com outra expressão nos olhos.

— Eu vi o anel — disse ele. — O pai o entregou ao reverendo. Brilhava como fogo. Era vermelho e amarelo. Luzia. O reverendo olhou o anel e disse que o reconhece como sendo do general. Vá lá até o buraco para vê-lo!

— Prefiro segurar uma víbora do que pôr os olhos nesse anel — disse a menina. — Você não pode realmente achar que seja belo.

Ingilbert mirou ao longe.

— Sei que o anel arruinou nossa vida — disse ele —, mas mesmo assim gostei dele.

Assim que disse isso, a voz do reverendo soou forte e clara na direção dos dois irmãos. Até então ele deixou o enfermo falar. Era agora sua vez.

É claro que o reverendo não podia aceitar toda aquela conversa bárbara sobre a perseguição de um falecido. Tentou demonstrar ao fazendeiro que era o castigo de Deus que recaía sobre ele, por ter cometido um ato tão abominável como furtar de um cadáver. O reverendo não queria de modo algum admitir que o general tivera poder para provocar incêndios ou lançar enfermidades sobre pessoas e animais. Não, as infelicidades que acometeram Bård foram desígnios de Deus para forçá-lo a se arrepender e restituir o furto, enquanto ainda estivesse vivo, para que seu pecado fosse perdoado e pudesse gozar de uma partida abençoada.

O velho Bård Bårdsson ficou quieto escutando o sermão do reverendo sem nenhuma objeção. Mas não se convenceu. Ele tinha passado por horrores terríveis demais para crer que tudo aquilo vinha de Deus.

Mas as crianças, que estavam tremendo de medo do fantasma e de visões espectrais, encheram-se de ânimo.

— Escutou? — perguntou Ingilbert apertando forte o braço da irmã. — Escutou o que o reverendo disse, que não foi o general?

— Sim — disse a irmã. Ela estava sentada com as mãos cruzadas, sorvendo no fundo da alma cada palavra que o reverendo dizia.

Ingilbert se levantou. Respirou fundo e endireitou a postura. Estava liberto de seu temor. Ele parecia outra pessoa. Com passos ágeis, foi até a porta da cabana e entrou.

— O que foi? — perguntou o reverendo.

— Queria dizer algumas palavras ao meu pai.

— Vá embora! Agora sou eu quem estou falando com seu pai — disse o reverendo com severidade.

E se virou de novo para Bård Bårdsson, falando por vezes com autoridade, por outras suave e compassivo.

Ingilbert se sentou sobre a laje de pedra, cobrindo o rosto com as mãos. Uma grande inquietação o havia dominado. Ele entrou novamente na cabana e mais uma vez foi expulso.

Quando tudo tinha terminado, Ingilbert devia guiar o reverendo no caminho de volta pela floresta. No início tudo corria bem, mas após um tempo eles teriam que atravessar um pântano sobre uma ponte estreita. O reverendo não se recordava de ter passado por aquele lugar no caminho de ida, e desconfiou que Ingilbert o estivesse levando pelo caminho errado. O rapaz, no entanto, respondeu que tomariam um grande atalho se fizessem aquele trajeto.

O reverendo olhou atentamente para Ingilbert. Teve a impressão de que ele, como o pai, era sedento por ouro. Além disso, Ingilbert tinha entrado na cabana diversas vezes, como que para impedir que o pai entregasse o anel.

— É um caminho estreito e perigoso, Ingilbert — disse o reverendo. — Temo que o cavalo vá derrapar nessa ponte escorregadia.

— Vou conduzir o cavalo, assim o prezado reverendo não precisa ter medo — disse Ingilbert enquanto tomava com firmeza as rédeas do cavalo.

Quando estavam no meio do pântano, sem nada ao redor a não ser junco e musgo, ele começou a impelir o cavalo para trás. Queria forçar o animal a cair da ponte.

O cavalo se ergueu, e o reverendo, que tinha dificuldade em se manter na sela, gritava que pela graça de Deus o rapaz soltasse a rédea.

Mas Ingilbert agia como se não escutasse nada, e o reverendo percebeu seu rosto sombrio com dentes cerrados lutando com o cavalo para empurrá-lo ao pântano. Era morte certa ao animal e ao cavaleiro.

Então o reverendo enfiou a mão no bolso e pegou uma bolsinha de couro de cabra. Atirou-a ao rosto de Ingilbert.

Este soltou as rédeas para apanhar a bolsinha, e o cavalo ficou livre. Assustado, o animal seguiu o caminho em direção à cidade. Ingilbert ficou para trás, sem fazer menção de segui-lo.

V

APÓS UMA VIAGEM DAQUELAS, NINGUÉM poderia se espantar com o fato de o reverendo ficar um pouco desnorteado e demorar até o anoitecer para encontrar o caminho da cidade. Também não foi de se estranhar que ele não tenha saído da floresta pela estrada de Olsby, que era melhor e mais curta, e em vez disso tenha acabado vagueando bem mais ao sul, chegando dessa maneira logo acima de Hedeby.

Enquanto cavalgava na escuridão da floresta, o reverendo decidiu que a primeira coisa que deveria fazer após chegar a salvo em casa era mandar uma mensagem ao xerife para pedir que ele fosse à floresta e tomasse o anel de Ingilbert. Mas quando estava ao largo de Hedeby, deliberou consigo mesmo se não deveria fazer um desvio para informar ao capitão de cavalaria Löwensköld quem foi que tinha ousado descer ao jazigo e furtado o anel real.

Era de se pensar que ele não precisasse refletir longamente sobre uma coisa tão evidente, mas o reverendo hesitou, pois sabia que não tinha havido uma relação verdadeiramente boa entre o capitão de cavalaria e seu pai. O filho era um homem de paz, na mesma medida em que o pai tinha sido um homem de guerra. Ele se apressou em deixar o serviço militar tão logo foi selada a paz com os russos, e depois doou todas as suas forças para aumentar o bem-estar do país, que havia sido completamente arruinado nos anos de guerra. Ele era contra o absolutismo e a sede por guerra, e costumava falar mal do próprio Carlos XII, entre outras coisas que o velho general tinha em alta estima. Como depois ficou evidente, o filho foi um ávido participante na guerra do parlamento, mas sempre como um apoiador do partido da paz. Ou seja, ele e o pai tinham muito em que discordar.

Quando havia sete anos que o anel do general estava desaparecido, pareceu ao reverendo, como a muitos outros, que o capitão de cavalaria não tinha se esforçado o bastante para reaver a joia. E tudo isso fez com que ele então pensasse: *Não serve a nada que eu agora me dê o trabalho de descer do cavalo aqui em Hedeby. O capitão de cavalaria nem se importa se é o pai ou Ingilbert quem traz o anel ao dedo. É melhor que eu fale logo sobre o furto com o xerife Carelius.*

Mas enquanto o reverendo pensava com seus botões, viu o portão que cercava a entrada de Hedeby abrir devagarinho, até ficar escancarado.

Isso poderia parecer muito estranho, mas há muitos portões que abrem sozinhos daquele jeito caso não sejam cerrados corretamente, e assim o reverendo não pensou mais naquele assunto. Ele o tomou, entretanto, como um sinal, e se pôs a cavalgar Hedeby adentro.

O capitão de cavalaria o recebeu muito bem, quase melhor do que de costume.

— Que honra vir até aqui nos ver, irmão — disse ele. — Eu hoje mesmo pensei em visitar o irmão, e várias vezes tive intenção de ir à igreja para falar sobre um caso bastante peculiar.

— Meu irmão Löwensköld teria então ido em vão — disse o reverendo. — Desde o começo da tarde estive na região de Olsby e acabei de chegar. Foi um dia de aventura para um velho como eu.

— Posso dizer o mesmo, embora eu mal tenha me levantado da cadeira. Asseguro ao irmão que, embora eu esteja prestes a me tornar um homem de cinquenta anos que passou por tanta coisa nos duros anos de guerra que se foram, nada tão extraordinário jamais me aconteceu como o que me sucedeu hoje.

— Nesse caso — disse o reverendo —, quero dar a palavra ao irmão Löwensköld. Eu também tenho uma história notável para contar ao meu honrado irmão. Contudo, não quero afirmar que é a mais extraordinária pela qual já passei.

— Pois então — disse o capitão de cavalaria —, pode também acontecer que o irmão não veja nada de incrível na minha história. E é justamente por isso que gostaria de perguntar. O irmão já ouviu falar no Gathenhielm?

— Se ouvi falar naquele pirata horrível, raptor insano, que o rei Carlos nomeou como almirante? Quem não ouviu falar nele?

— À tarde — continuou o capitão de cavalaria —, durante a refeição, nos pusemos a falar sobre os velhos tempos de guerra. Meus filhos e o preceptor começaram a me perguntar como tudo tinha sido, pois os jovens sempre querem escutar acerca de tais assuntos. Note bem, irmão, que sobre os anos de privação e miséria que nós, suecos, tivemos que passar após a morte do rei Carlos, quando devido à guerra e ao confisco tínhamos perdido tudo, sobre isso eles não perguntam, só querem saber sobre os violentos anos de guerra. Por Deus, quem imaginaria que eles não dariam valor à recuperação de cidades incendiadas, à construção de fazendas e fábricas, ao arado e à semeadura? Creio, irmão, que meus filhos se envergonhem de mim e de meus contemporâneos, porque nós pusemos um freio à procissão da guerra e à prática de arrasar países estrangeiros. Parecem acreditar que nós fomos homens piores do que nossos pais e que a velha força sueca nos abandonou.

— O irmão Löwensköld tem toda razão — disse o reverendo. — O amor dessa juventude pela guerra é lamentável.

— Pois bem, eu atendi ao pedido deles — disse o capitão de cavalaria —, e como queriam ouvir sobre um grande herói de guerra, contei-lhes sobre Gathenhielm e suas crueldades contra mercadores e viajantes, pensando que desse modo despertaria neles horror e nojo. Ao ter êxito, pedi a eles que tivessem em mente que esse Gathenhielm era um filho legítimo dos tempos de guerra, e perguntei se desejavam ver o mundo habitado por essas criaturas infernais.

"Mas antes que meus filhos pudessem responder, o preceptor deles tomou a palavra e me pediu permissão para contar mais uma história sobre Gathenhielm. E como ele disse que essa aventura somente corroborava o que eu antes dissera sobre a temível selvageria e fúria desse personagem, concedi a ele minha autorização.

"Ele contou então que Gathenhielm morrera jovem e seu corpo fora sepultado na igreja de Onsala, em um sarcófago de mármore que ele tinha roubado do rei dinamarquês. Foi então que começou na igreja uma assombração tão terrível que os moradores de Onsala não podiam mais suportar. Não tiveram outra ideia a não ser tirar o corpo do túmulo e enterrar numa ilhota deserta em alto-mar. Depois disso, na igreja se fez a paz, mas os pescadores, que em suas viagens chegavam nas proximidades do novo local de descanso do Gathenhielm, contavam que ali se escutavam estrondos e ruídos, e a todo instante a espuma do mar espirrava com violência sobre a pobre ilhota. Os pescadores se convenceram de que se tratava de todos os marinheiros e comerciantes que Gathenhielm tinha mandado atirar ao mar dos navios que capturava, e que agora se levantavam de suas covas úmidas para maltratá-lo e fazê-lo sofrer. Por esse motivo, os pescadores evitavam navegar naquela direção. Contudo, numa noite escura, aconteceu de um deles se aproximar demais daquele local perigoso. Ele se viu arrastado por um redemoinho, as ondas chicoteavam seu rosto, e uma voz retumbante bradou: *Vá até a vila de Gata em Onsala e diga à minha esposa que mande sete feixes de chicote de aveleira e duas clavas de zimbro!*"

O reverendo até então havia escutado a narrativa com uma atenção silenciosa, mas como seu vizinho não contava nada além de uma típica história de fantasma, não pôde reprimir um movimento de impaciência. O capitão de cavalaria, entretanto, ignorou o gesto.

— Como o irmão deve imaginar, não havia dúvida quanto a atender aquela ordem. E a esposa, por sua vez, também obedeceu Gathenhielm. Os chicotes mais flexíveis e as clavas mais rijas foram entregues a um camponês de Onsala que remou até o mar com a carga.

O reverendo fez então uma clara menção de que queria interrompê-lo, e assim o capitão de cavalaria notou sua impaciência.

— Sei o que irmão pensa — disse ele —, eu tive o mesmo pensamento quando escutei a história esta tarde, mas peço que apesar disso o irmão me ouça até o final. Quero, contudo, dizer que aquele camponês de Onsala devia ser um homem valente, e o seu patrão muito leal, do contrário não teria ousado realizar essa missão. Quando ele chegou próximo do local, as ondas batiam sobre a sepultura como uma violenta tempestade, e ainda se escutavam os gritos de guerra. Mesmo assim, o camponês remou até chegar o mais perto possível e atirou as clavas e os chicotes sobre a ilhota. Depois ele se afastou com ágeis remadas daquele lugar terrível.

— Meu honrado irmão... — começou o reverendo, mas o capitão de cavalaria estava resoluto.

— Ele não remou por muito tempo até descansar os remos para ver se aconteceria algo de extraordinário. Ele não precisou esperar em vão. Pois num instante as vagas se ergueram ao alto sobre a ilhota, os estrondos se tornaram um rumor de campo de batalha, e roucos gritos ecoaram sobre o mar. Isso continuou por um tempo, mas com vigor cada vez menos intenso, e por fim as ondas pararam de trovejar sobre o túmulo de Gathenhielm. Logo as águas ficaram calmas como em qualquer outra ilhota. O camponês levantava os remos para seguir o caminho de casa quando foi interpelado por uma voz estrondosa e triunfante: *Vá até Gata em Onsala e conte à minha esposa que eu, Lasse Gathenhielm, derrotei meus inimigos tanto na morte quanto na vida!*

O reverendo tinha escutado com a cabeça baixa. Quando a história terminou, ele ergueu o rosto e lançou um olhar inquisitivo ao capitão de cavalaria.

— Quando o preceptor contou isso — disse o capitão de cavalaria —, pude reparar que meus filhos mostraram compaixão por esse canalha do Gathenhielm, e gostaram de ouvir falar sobre sua arrogância. Então observei a eles que a história me parecia bem construída, mas dificilmente poderia ser mais que uma mentira. Porque, disse eu, se um pirata brutal como Gathenhielm tivesse possuído tamanha força para se defender mesmo depois da morte, como se explicaria que o meu pai, que era tão cospe-fogo quanto Gathenhielm, mas ao mesmo tempo uma pessoa boa e honrada, pôde deixar um ladrão se enfiar em seu túmulo e furtar seu mais precioso bem, sem ter o menor poder de impedir ou no mínimo atormentar o culpado?

O reverendo se pôs de pé após essas palavras, com uma lividez incomum.

— É exatamente o que penso — disse ele.

— Sim, mas escute agora o que aconteceu! — continuou o capitão de cavalaria. — Mal tinha proferido isso quando ouvi um gemido detrás da cadeira. E esse gemido foi tão parecido com o suspiro cansado que meu abençoado pai costumava soltar quando era afligido pelas dores da velhice, que cheguei a pensar que ele estava atrás de mim, e me levantei num pulo. Não vi nada, mas tão certo estava de tê-lo ouvido, que não quis continuar sentado à mesa e fiquei aqui sozinho considerando esse acontecimento até agora. Desejo muito saber os pensamentos do meu prezado irmão acerca dessa questão. Foi meu pai quem ouvi suspirar de tristeza por causa de seu tesouro perdido? Se me convencesse de que ele ansiou por esse anel desde então, preferiria sair procurando-o de casa em casa do que deixá-lo mais um instante sequer preso na cruel tristeza revelada por aquele gemido.

— Essa é a segunda vez hoje que tenho que responder se o falecido general ainda lamenta seu anel perdido e o quer de volta — disse o reverendo. — Vou primeiro, com a permissão do meu honrado irmão, contar minha história, e depois vamos raciocinar juntos.

E assim o reverendo apresentou sua narrativa, percebendo que não devia recear uma falta de zelo da parte do capitão de cavalaria em relação à propriedade de seu pai. O reverendo se esquecera que há algo dos filhos de Lodbrok[4] mesmo na natureza da pessoa com a mentalidade mais pacífica. É bem verdade quando se diz que os leitões grunhem quando ficam sabendo o que sofreu o velho javali. O reverendo viu então como saltaram as veias na testa do capitão de cavalaria, como seus punhos se apertaram,

4 Ragnar Lodbrok, um rei viking lendário, tratado ficcionalmente na série televisiva *Vikings*.

os nós dos dedos embranqueceram. Um ódio temível se apoderou dele.

Naturalmente o reverendo apresentou a história a partir de sua perspectiva. Ele contou como a ira de Deus havia infligido as provações, e não queria de modo algum reconhecer que um morto as teria cometido.

Mas o capitão de cavalaria tinha interpretado tudo que escutava de outro modo. Ele entendeu então que seu pai não tivera paz na cova, pois o anel tinha sido retirado de seu indicador. Sentiu angústia e dor na consciência por até aquele momento ter tratado do assunto sem firmeza. Era como uma ferida aguda e dolorosa em seu coração.

O reverendo, que notou como ele ficou transtornado, estava quase amedrontado de dizer que o anel lhe tinha sido tomado, mas isso foi recebido com uma espécie de amarga satisfação.

— Que bom que sobrou uma parte desse nojento covil de ladrões — disse o capitão de cavalaria Löwensköld. — O general atacou os pais, e atacou com dureza. Agora é minha vez.

O reverendo notou uma firmeza impiedosa em sua voz. Ele ficou mais e mais preocupado. Temia que o capitão de cavalaria fosse esganar Ingilbert com as próprias mãos ou açoitá-lo até a morte.

— Considerei que era meu dever apresentar o relato do falecido ao irmão — disse o reverendo. — Mas espero que o irmão não tome medidas apressadas. Pretendo agora informar o xerife do roubo cometido contra mim.

— O irmão faça como desejar — disse o capitão de cavalaria. — Só quero dizer que é preocupação desnecessária, pois desse caso eu mesmo vou tomar conta.

Após essas palavras, o reverendo percebeu que não havia mais nada a fazer em Hedeby. Ele montou o cavalo e partiu o mais rápido possível para dar o aviso ao xerife antes de anoitecer.

Mas o capitão de cavalaria Löwensköld juntou toda a sua gente, contou o que aconteceu e perguntou quem gostaria de acompanhá-lo na manhã seguinte para apanhar um ladrão. Não houve ninguém que tenha se negado a fazer um favor a ele e ao falecido general, e o restante da noite foi destinado a reunir toda espécie de arma, velhos mosquetões, lanças de caça, espadas, clavas e foices.

VI

NÃO MENOS DO QUE QUINZE HOMENS SEGUIram o capitão de cavalaria quando ele, às quatro horas da manhã seguinte, partiu à caça do ladrão. Estavam em seu melhor espírito de guerra. Tinham uma causa justa e, além disso, confiavam no general. Como o falecido tinha carregado aquele fardo por tanto tempo, eles conduziriam o caso agora a um desfecho feliz.

No entanto, aquela região selvagem não ficava a menos de dez quilômetros depois de Hedeby. No começo, a caminhada os conduziu a um vale amplo, em parte cultivado e salpicado de celeiros. Aqui e ali se erguiam grandes aldeias nos montes. Uma dessas era Olsby, onde Bård Bårdsson tinha sua fazenda antes de o general lhe fazer o favor de incendiá-la.

Logo a seguir, havia uma grande floresta que cobria a terra feito uma espessa pelugem; árvores e mais árvores surgiam sem cessar. Mas ainda não era o fim completo do domínio humano. Havia pequenas trilhas que conduziam a cabanas de verão e a carvoarias.

O capitão de cavalaria e sua gente adotaram outra postura e outra aparência ao entrarem na grande floresta. Eles já tinham ido até ali no passado à caça de animais de grande porte, e foram assim tomados pelo espírito do caçador. Passaram a lançar olhares penetrantes por entre os galhos, andando de um modo totalmente diferente, com passo leve e ardiloso.

— Vamos combinar uma coisa, rapazes — disse o capitão de cavalaria. — Que nenhum de vocês se arrisque por causa daquele ladrão. Deixem-no para mim. Cuidem somente para que ele não escape!

Essa ordem não foi bem obedecida. Todos eles, que no dia anterior estavam pacificamente amontoando feno, ardiam de vontade de dar uma lição inesquecível a Ingilbert.

Entretanto, haviam chegado ao coração da floresta, e altos pinheiros, remanescentes de tempos antigos, cresciam emaranhados, formando um teto sem fim sobre suas cabeças. Não havia mais vegetação rasteira, e somente musgo cobria o chão. De repente, se depararam com três homens vindo em sua direção carregando uma maca feita de galhos, onde um quarto homem estava deitado.

O capitão de cavalaria e sua tropa se apressaram ao encontro dos que portavam a maca e que pararam ao ver um grupo tão grande de pessoas. Eles tinham posto um ramo de samambaia sobre o rosto do acamado para que ninguém pudesse ver quem ele era, porém os homens de Hedeby se deram conta disso e sentiram um calafrio na espinha.

Eles não viram o velho general ao lado da maca. Não mesmo. Nem mesmo um vislumbre do general. Mas de alguma forma sabiam que ele estava presente. Ele tinha vindo com o morto do fundo da floresta. Ele estava ali de pé, apontando o cadáver com o dedo.

Os três homens que seguravam a maca eram bem conhecidos e tidos como boas pessoas. Um era Erik Ivarsson, que tinha uma grande fazenda em Olsby, e seu irmão, Ivar Ivarsson, que nunca tinha se casado e morava com o irmão na fazenda de seus antepassados. Ambos eram avançados em anos, mas o terceiro no grupo era um homem jovem. Também era conhecido de todos. Ele se chamava Paul Eliasson e era filho adotivo dos Ivarsson.

O capitão de cavalaria foi até os Ivarsson, e eles puseram a maca no chão para cumprimentá-lo e lhe estender a mão. Mas o capitão sequer percebeu suas mãos estendidas. Ele não conseguia despregar os olhos do ramo de samambaia que cobria o rosto do homem estendido na maca.

— É Ingilbert Bårdsson que está deitado aí? — perguntou ele com uma voz particularmente dura. Soou como se falasse contra sua vontade.

— É ele — disse Erik Ivarsson. — Mas como pode o capitão de cavalaria saber disso? Reconheceu-o pela roupa?

— Não — disse o capitão de cavalaria. — Eu não o reconheci pela roupa. Não o vejo há cinco anos.

Tanto sua própria gente quanto os homens recém-chegados lançaram olhares indagadores ao capitão de cavalaria. A todos parecia que naquela manhã havia nele algo estranho e terrível. Ele não se parecia consigo próprio. Não estava cortês e amigável como de costume.

Ele se pôs a questionar os Ivarsson. O que eles estavam fazendo na floresta tão cedo pela manhã, e onde tinham encontrado Ingilbert? Os Ivarsson eram grandes fazendeiros e não gostavam de ser interrogados daquele modo; mas ele conseguiu descobrir o principal.

No dia anterior tinham ido até sua cabana de verão, que ficava a algumas milhas floresta adentro, levando farinha e provisões, e lá passaram a noite. Cedo de manhã tinham se posto a caminho de casa, quando Ivar Ivarsson passou a andar à frente dos outros dois. Ivar Ivarsson havia sido soldado e conhecia a arte da marcha; não era fácil acompanhar seu passo.

Quando Ivar Ivarsson tinha andado um bom trecho à frente dos outros, percebeu um homem na estrada vindo em sua direção. A floresta era menos densa naquele lugar. Não havia nenhum arbusto, somente grandes troncos, e ele viu o homem a longa distância. Mas ele não conseguiu reconhecê-lo de imediato. Entre as árvores flutuavam véus de neblina, e quando a luz do sol brilhou, a névoa se tornou uma fumaça dourada. Podia-se ver por entre a neblina, mas não com completa nitidez.

Ivar Ivarsson notou que quando o caminhante o viu através do nevoeiro, ele parou, e com grande pavor estendeu as mãos como que para evitá-lo. Ivar deu mais alguns passos, e o outro caiu de joelhos e gritou implorando que não se aproximasse. Parecia que não estava bem da cabeça, e Ivar Ivarsson quis correr até ele para acalmá-lo, mas então o outro se ergueu e fugiu em meio às árvores. Porém, ele pôde dar somente umas poucas passadas. Logo em seguida caiu e ficou imóvel. Quando Ivar Ivarsson chegou até ele, já estava morto.

Ivar Ivarsson reconhecera então o homem como sendo Ingilbert Bårdsson, filho daquele Bård Bårdsson que antigamente morava em Olsby, mas que tinha se mudado para uma cabana na floresta depois que sua fazenda pegou fogo e a esposa se afogou. Ivar não conseguia compreender como Ingilbert tinha caído morto sem que mão nenhuma tivesse se levantado contra ele, e tentou reanimá-lo, mas não teve sucesso. Quando os outros o alcançaram, viram logo que o jovem estava morto. Como os Bårdsson tinham sido seus vizinhos em Olsby, não quiseram deixar Ingilbert na floresta e construíram uma maca para trazê-lo com eles.

O capitão de cavalaria ficou parado escutando, o rosto sombrio. Ele considerou o relato bastante crível. Ingilbert parecia ter se preparado para uma longa viagem, levava uma trouxa às costas e pés bem calçados. A lança de caça, que estava na maca, devia também ser dele. Ele certamente teve intenção de partir à terra estrangeira para vender o anel, mas quando encontrou Ivar Ivarsson em meio à neblina da floresta, acreditou estar vendo o espectro do general. É claro. Foi o que aconteceu. Ivar Ivarsson vestia uma velha capa de soldado e trazia a aba do chapéu erguida, ao modo dos tempos do rei Carlos. A distância, a neblina e a má consciência explicavam seu engano.

Mas a insatisfação do capitão de cavalaria não se dissipou. Ingilbert tinha despertado sua ira e sua sede de sangue. Ele gostaria de ter esmagado Ingilbert Bårdsson com a força de seus braços. Precisava de um escape para sua fome de vingança e não encontrou nada.

Contudo, ele compreendeu que estava sendo insensato e se obrigou a contar aos Ivarsson o motivo pelo qual ele e sua gente tinham naquela manhã se metido na floresta. E acrescentou que gostaria de verificar se o morto ainda tinha o anel em sua posse.

Estava com a mente a tal ponto perturbada que chegou a desejar que os homens de Olsby recusassem, para que ele pudesse combater por seu direito. Mas eles consideraram o pedido completamente natural e se puseram de lado, enquanto dois homens do capitão de cavalaria reviraram os bolsos do morto, os sapatos, a trouxa de viagem, cada costura de sua roupa.

O capitão de cavalaria acompanhou a procura com grande atenção, mas num dado momento desviou os olhos aos fazendeiros e teve a impressão de que eles trocavam olhares irônicos, como se estivessem certos de que não encontrariam coisa alguma.

E foi o que sucedeu. Tiveram que parar de procurar sem que o anel fosse encontrado. Mas, naquelas circunstâncias, o capitão de cavalaria transferiu suas suspeitas naturalmente contra os fazendeiros. O mesmo aconteceu com sua gente. Onde foi parar o anel? Ingilbert obviamente o tinha consigo ao fugir. Onde estava agora?

Ninguém estava vendo o general naquele momento, mas todos sentiam sua presença. Ele estava no meio do grupo e apontava os três homens de Olsby. Eles estavam com o anel.

Era de se imaginar que eles tivessem examinado os bolsos do morto e acabassem encontrando a joia.

Também era de se pensar que a narrativa que eles tinham recentemente apresentado não fosse verdadeira, e que tudo tivesse se passado de modo diverso. Aqueles homens, que eram da mesma região dos Bårdsson, tivessem talvez ciência de quem estava de posse do anel. Talvez eles tenham ficado sabendo que Bård tinha morrido e, ao encontrar seu filho na floresta, compreenderam que ele pretendia fugir com o anel, momento em que o atacaram e o mataram para se apropriar do tesouro.

Não viram no cadáver nenhuma outra ferida além de um corte na testa. Os Ivarsson disseram que ele tinha batido a cabeça contra uma pedra ao cair, mas aquela ferida não podia também ter sido infligida pela clava pesada que Paul Eliasson trazia à mão?

O capitão de cavalaria permaneceu com os olhos ao chão. Uma batalha se travava em seu íntimo. Ele nunca tinha escutado nada de ruim acerca daqueles três homens, e ia contra sua convicção acreditar que eles tivessem matado e roubado.

Toda sua tropa o tinha cercado. Dois deles estavam já prontos e brandiam suas armas. Ninguém pensava que pudessem sair daquele lugar sem uma luta.

Então Erik Ivarsson foi até o capitão de cavalaria:

— Meu irmão e eu, assim como Paul Eliasson, que é nosso filho adotivo e em breve será meu genro, entendemos bem o que o capitão e sua gente pensam sobre nós. Melhor então que ninguém vá embora antes que os senhores possam examinar também a nossa roupa e os nossos bolsos.

Com essa proposta, a fúria cedeu um pouco na alma do capitão de cavalaria. Ele recusou. Os dois Ivarsson e seu filho adotivo eram homens sobre os quais não recaía nenhuma suspeita.

Mas os fazendeiros queriam pôr fim à questão. Começaram por conta própria a revirar seus bolsos e tirar os sapatos, e o capitão de cavalaria fez um sinal para que sua gente lhes permitisse fazer como queriam.

Nenhum anel foi encontrado, mas dentro de um saco de casca de bétula, que Ivar Ivarsson trazia às costas, havia uma bolsinha de couro de cabra.

— Essa bolsinha é sua? — perguntou o capitão de cavalaria depois de examiná-la e perceber que estava vazia.

Caso Ivar Ivarsson tivesse respondido que sim, talvez o problema estivesse encerrado, mas, em vez disso, ele reconheceu com a maior calma do mundo:

— Não, essa bolsinha estava no caminho, não longe do lugar em que Ingilbert caiu. Eu a apanhei e a guardei no saco porque parecia em bom estado e pouco usada.

— Mas era exatamente numa bolsinha assim que o anel se encontrava quando o reverendo a jogou contra Ingilbert — disse o capitão de cavalaria, e então novamente seu rosto e sua voz se ensombreceram. — Nesse caso, não há mais nada a fazer a não ser me acompanharem até o xerife, caso não queiram me entregar o anel por espontânea vontade.

E então acabou a paciência dos homens de Olsby.

— O capitão de cavalaria não tem direito de nos dar voz de prisão — disse Erik Ivarsson. Ele tomou num instante a lança que estava ao lado de Ingilbert para abrir seu caminho, e o irmão e o genro se uniram a ele.

Os homens de Hedeby se afastaram ao primeiro susto e se aproximaram do capitão de cavalaria, que gargalhou de prazer por liberar sua fúria em ação. Ele desembainhou o sabre e com um golpe quebrou a lança.

Mas essa foi a única proeza de armas demonstrada nessa guerra. Os próprios homens do capitão de cavalaria o detiveram e lhe arrancaram as armas.

Aconteceu que o xerife Carelius também considerou apropriado adentrar a floresta naquela manhã. Ele apareceu na estrada, seguido por um guarda, exatamente no momento certo.

Houve novas investigações e interrogatórios, mas ao fim se deu que Erik Ivarsson, seu irmão Ivar e o filho adotivo Paul foram levados sob custódia e detidos por suspeita de assassinato e roubo.

VIII

NÃO SE PODE NEGAR QUE A NOSSA PROVÍNcia de Värmland naquele tempo tinha florestas vastas, mas plantações pequenas, os quintais eram amplos, mas as casas apertadas, as estradas eram estreitas, e as encostas muito íngremes, as portas baixas, mas os umbrais eram altos, as igrejas eram insignificantes, mas os cultos demorados, os dias de vida eram poucos, mas as preocupações eram incontáveis. No entanto, tudo isso não fazia com que os habitantes de Värmland fossem rabugentos ou lamurientos.

Talvez a geada matasse as sementes, talvez os animais selvagens tomassem conta do gado e a rubéola, da criançada, mas com certeza eles mantinham o bom humor até o fim. Que mais eles poderiam fazer?

Talvez essa boa disposição dependesse da presença de um consolo que servia a todas as casas. Havia alguém que servia aos ricos do mesmo modo que aos pobres, alguém que jamais falhava ou se cansava.

Não vá, porém, pensar que esse consolo era algo solene ou grandioso, como a palavra de Deus, a paz na consciência ou a felicidade no amor! Não vá pensar também que era algo baixo e perigoso, como a bebedeira ou jogo de dados! Era algo totalmente inocente e cotidiano: nada mais nada menos que o fogo, que ardia nas lareiras das noites invernais.

Santo Deus, como o fogo embelezava e tornava aconchegante a mais simples casinha! E o fogo também fazia troça das pessoas dentro de casa enquanto a noite durasse! Ele estalava e pipocava, como se estivesse rindo. Ele espirrava e chiava, como se quisesse imitar alguém que estava emburrado e nervoso. Às vezes não tinha juízo e dava cabo de um galho com muitos gravetos. Então o cômodo se enchia de fumaça e fedor, como se quisesse dar a entender que tinha recebido comida ruim demais para sobreviver. Às vezes tinha o cuidado de se encolher todo, até virar um montinho de brasa, justo quando as pessoas estavam no melhor ritmo de trabalho, quando então era preciso pôr as mãos nos joelhos e gargalhar, até as chamas se elevarem de novo. O auge de patifaria se dava quando a cozinheira vinha com o caldeirão de três pernas e o mandava cozinhar a comida. Uma vez ou outra, ele estava disposto e obediente e exercia sua função com presteza e agilidade, mas na maior parte das vezes ele dançava leve e zonzo por horas ao redor da panela de mingau, sem terminar o cozimento.

Como o fogo devia luzir aos olhos do camponês quando este chegava encharcado e enregelado em meio à neve e à lama, e a brasa o recebia com calor e aconchego! Como era bom pensar na luz vigilante que se espalhava pela escuridão da noite de inverno para ser uma estrela--guia aos pobres viajantes e um aviso que espantava as feras como o lince e o lobo!

Porém as chamas podiam mais do que aquecer, iluminar ou cozinhar, elas entendiam de assuntos mais importantes do que faiscar, estalar, chamuscar e feder. As chamas tinham o poder de reavivar a vontade de brincar na alma humana.

Pois a alma humana não é mais que uma chama brincalhona, não é mesmo? A alma revoa por dentro, por cima e ao redor da pessoa, assim como a chama revoa por dentro, por cima e ao redor da lenha áspera. Como aquelas almas que estavam reunidas ao redor da fogueira numa noite de inverno, que ficaram um momento em silêncio, olhando para o fogo, quando a brasa começou a falar a cada uma delas em seu próprio idioma.

— Irmã alma — disse a fogueira —, você não é uma chama como eu? Por que está tão séria e cabisbaixa?

— Irmã fogueira — respondeu a alma humana —, eu rachei lenha e cuidei da casa o dia inteiro. Não tenho forças para mais nada, a não ser me sentar em silêncio e olhar para você.

— Eu sei — disse a fogueira. — Agora o sol se pôs. Faça como eu, voe e brilhe! Brinque e aqueça!

E as almas obedeceram a fogueira e começaram a brincar. Contaram sagas, adivinharam charadas, tocaram as cordas da rabeca, talharam ornamentos e rosas nas ferramentas e nos arados. Elas faziam brincadeiras e cantavam cantigas, pagavam prendas e se recordavam de velhos provérbios. E durante esse tempo se derretia o gelo de seus membros e a rabugice de suas mentes. Elas reviviam e se divertiam. O fogo e a brincadeira lhes devolviam o desejo de viver sua pobre e atribulada vida.

E, mais que tudo, a fogueira era o lugar ideal para se contar todo o tipo de feitos e aventuras. Elas divertiam tanto velhos como jovens e jamais chegavam ao fim, pois feitos e aventuras, graças a Deus, sempre existiram à vontade nesse mundo.

Mas nunca houve tantas histórias como no tempo do rei Carlos. Ele era um herói entre os heróis, e havia um tesouro de histórias para se contar sobre ele e seus homens. Essas narrativas não pereceram com ele e seu reinado, elas sobreviveram à sua morte e foram sua mais preciosa herança.

Ninguém era tão presente nas histórias quanto o próprio rei, mas em segundo lugar na predileção das pessoas estava o general de Hedeby, que todos conheciam pessoalmente e podiam descrever da cabeça aos pés.

O general fora tão forte que conseguia torcer ferro como outros torciam uma lasca de madeira. Ele ficou sabendo que em Smedsby, perto de Svartsjö, morava um ferreiro que fazia as melhores ferraduras de cavalo da região. O general cavalgou até a oficina e pediu ao ferreiro, que se chamava Mickel de Smedsby, que trocasse as ferraduras de seu cavalo. Quando o ferreiro saiu da forja com uma ferradura pronta, o general perguntou se podia examiná-la. A ferradura estava firme e bem-feita, mas o general riu ao vê-la.

— Você chama isso daqui de ferro? — perguntou ele, e em seguida torceu a ferradura, partindo-a ao meio. O ferreiro ficou apavorado, pensando que tinha feito um mau trabalho.

— Devia ter uma falha no ferro — disse ele, e entrou apressado para buscar outra ferradura.

Mas com a nova ferradura aconteceu o mesmo que com a anterior, com a diferença de que essa se dobrou como uma tesoura, até quebrar também. E então Mickel começou a suspeitar.

— Ou o senhor é o rei Carlos em pessoa, ou é o Bengt, o Forte, de Hedeby — disse ele ao general.

— Até que não adivinha mal, caro Mickel — disse o general, que logo pagou a Mickel o valor total das quatro novas ferraduras, além das duas que tinha quebrado.

Havia muitos outros casos acerca do general, e as pessoas contavam e contavam, e não havia uma pessoa sequer em toda região que não o conhecesse ou demonstrasse reverência e admiração por sua pessoa. E também sabiam do anel, que o tinha acompanhado ao túmulo e que, devido à imensa cobiça das pessoas, lhe havia sido roubado.

Tudo isso nos faz entender que se havia algo que poderia deixar o povo interessado, curioso e indignado, era que o anel tinha sido encontrado e perdido novamente, que Ingilbert havia sido encontrado morto na floresta, e que os homens de Olsby eram então suspeitos de ter se apropriado do anel e estavam detidos. Quando as pessoas saíam do culto na tarde de domingo, quase não tinham paciência de trocar a roupa que haviam colocado para ir à igreja e comer um pouco antes de contar tudo o que tinha sido testemunhado, tudo o que tinha sido confessado e que pena os acusados receberiam.

Não se falava de outra coisa. Toda noite se abria uma sessão junto ao fogo da lareira, desde as casas senhoriais até as casas humildes, entre camponeses e gente graúda.

Era um caso espinhoso e estranho, difícil de resolver. Era arriscado proferir uma sentença definitiva, pois era complicado e quase inconcebível de se acreditar que os Ivarsson e o seu filho adotivo tivessem matado um homem para tomar o anel, por mais precioso que fosse.

Em primeiro lugar, havia a figura de Erik Ivarsson. Ele era um homem rico, com grandes propriedades e muitas casas. Se ele tinha algum defeito, era ser altivo e cioso demais de sua honra. E justamente por isso era difícil entrar na cabeça que algum tesouro no mundo pudesse movê-lo a cometer um ato desonroso.

Ainda menos se poderia suspeitar de seu irmão Ivar. Ele era de fato pobre, mas morava com o irmão, onde tinha tudo de que precisasse. Ele tinha um coração tão generoso que se desfez de tudo que possuía. Como poderia um homem assim decair a ponto de roubar e matar?

Ao que concernia Paul Eliasson, sabia-se que era tido em alta conta na casa dos Ivarsson, e que se casaria com Marit Eriksdotter, a única herdeira do pai. A despeito disso, era dele de quem mais se podia suspeitar devido ao fato de ter nascido russo, e acerca dos russos sabia-se que eles não consideram pecado o ato de roubar. Ivar Ivarsson o trouxe consigo quando retornou do cativeiro na Rússia. O menino tinha então três anos de idade, não tinha mais família e teria morrido de fome em seu país. Porém, desde então foi educado com correição e honestidade, e sempre tinha se portado bem. Marit Eriksdotter e ele tinham crescido juntos, sempre se amaram, e seria bastante estranho que um homem com perspectiva de felicidade e riqueza colocasse tudo em jogo para roubar um anel.

Por outro lado, havia que se pensar no general, o general do qual se tinha ouvido contar histórias desde que se era pequeno, a quem se conhecia tão bem como o próprio pai, o general que era grande, forte e fiel, o general que estava morto e lhe tinham roubado o bem mais precioso.

O general ficou sabendo que Ingilbert Bårdsson tinha o anel consigo ao fugir, pois do contrário Ingilbert poderia ter seguido caminho em paz e não teria sido morto. O general devia também saber que os homens de Olsby tinham tomado o anel, senão não teriam encontrado o capitão de cavalaria na estrada, não teriam sido detidos nem postos na prisão.

Era muito difícil determinar um julgamento em tal caso, mas no general todos confiavam mais do que no próprio rei Carlos, e na maioria dos tribunais que se instauraram nas casas da região as sentenças foram condenatórias.

Com certeza causou muito espanto que o tribunal verdadeiro, que mantinha sessões no fórum de Bro, após ter examinado rigorosamente os acusados, sem conseguir convencê-los ou forçá-los a confessar, se viu na obrigação de inocentar os réus de roubo e assassinato.

Eles, no entanto, não foram liberados, pois a sentença do fórum foi analisada pela corte real, que julgou os homens de Olsby culpados e os mandou para a forca.

Mas nem mesmo essa condenação foi cumprida, pois a sentença da corte real precisaria antes ser sancionada pelo rei.

Quando então a sentença real foi proferida, mais uma vez as pessoas que saíam da igreja puseram de boa vontade o jantar de lado até que pudessem comunicar o teor da sentença aos demais moradores da casa.

Pois a sentença dizia, em poucas palavras, que, como era bastante claro que um dos acusados havia matado e roubado, mas nenhum deles queria se confessar culpado, a sentença de Deus decidiria por eles. Por ocasião da próxima sessão no fórum, diante do juiz, das autoridades e da comunidade, eles teriam que jogar dados. Aquele que tirasse o menor número seria considerado culpado e por seu crime perderia a vida na forca, mas os dois outros seriam sem mais delongas liberados para retornar à vida normal.

Era uma sentença sábia, uma sentença justa. Todas as pessoas aqui de Värmland ficaram muito satisfeitas. Não era uma beleza o velho rei ter conseguido, num caso tão sombrio, ver com mais clareza do que qualquer outra pessoa e, desse modo, ter apelado ao Onisciente? Finalmente se poderia ter certeza de que a verdade viria à luz.

Além disso, havia algo bem peculiar nesse julgamento. Ele não era conduzido por uma pessoa contra outra pessoa, e sim por um falecido que era parte do caso, um morto que exigia a restituição de sua propriedade. Em outro caso se poderia hesitar em apelar aos dados, mas não nesse. O falecido general sabia com certeza quem estava em posse do seu objeto. E esta era a melhor parte da sentença real:

ela dava ao velho general a oportunidade de libertar ou executar.

Seria possível acreditar que o rei Frederico quisesse deixar a decisão ao general. Ele talvez o tivesse conhecido nos velhos tempos de guerra e sabia que era um homem em quem se podia confiar. Pode ser que essa fosse sua intenção. Não era fácil dizer.

Seja como for, todos queriam muito estar presentes na sessão daquele dia no momento em que a sentença real seria cumprida. Todos que não eram velhos demais para andar ou pequenos demais para engatinhar tomaram o rumo do fórum. Por incontáveis anos, nenhum caso tão notável, tão ímpar, havia acontecido. Ninguém se contentaria em ficar sabendo como os eventos se desenrolaram aos poucos e através de outras pessoas. Não, era preciso estar lá em pessoa.

Claro que as fazendas estavam desertas, e claro que, ao contrário do habitual, era possível viajar milhas sem encontrar viva alma. Mas quando todos na região chegaram ao mesmo lugar, ficaram assombrados com a quantidade de pessoas presentes. Estavam todos apertados, empacotados em muitas fileiras diante do fórum. Pareciam um enxame escuro e pesado de abelhas se pendurando diante da colmeia em dia de verão. Também eram como abelhas enxameadas no sentido de que não estavam em seu temperamento usual. Não estavam todos solenes e em silêncio, como costumavam se portar na igreja, e nem animados e bem-humorados como nos dias de feira; pelo contrário, estavam bravios e irritados, obcecados pelo ódio e pelo desejo de vingança.

Pode alguém se perguntar o motivo disso? Eles receberam no leite materno o pavor a malfeitores. Foram ninados ao som de canções sobre bandoleiros errantes. Consideravam todos os ladrões e assassinos como uma praga, como monstros, a seus olhos não eram mais pessoas. Não tinham sequer a ideia de que deviam demonstrar misericórdia.

Eles sabiam que uma dessas criaturas aterrorizantes receberia sua sentença naquele dia, e estavam alegres por isso. *Graças a Deus, um desses capetas sedentos de sangue será morto hoje*, pensavam eles. *Ao menos não poderá mais nos fazer mal.*

A sentença divina não teria lugar nos recintos do fórum, mas seria executada ao ar livre. Era realmente complicado para uma companhia de soldados formar uma barreira ao redor da praça em frente ao fórum para que as pessoas não pudessem se aproximar, e muitos impropérios foram dirigidos aos soldados por estarem no caminho. Em outra ocasião ninguém faria isso, mas naquele dia estavam todos ousados e intrometidos.

As pessoas precisaram sair de casa cedo para assegurar um lugar próximo da praça de execução, e tiveram que ficar ali de pé esperando por longas horas. Não havia muito para entreter os olhos durante aquele tempo. Um meirinho saiu do fórum e colocou um grande tambor no meio do pátio. Foi já um motivo de alegria, pois então viram que aqueles que estavam lá dentro pensavam em dar andamento à função antes de anoitecer. O meirinho trouxe também uma cadeira, uma mesa, além de tinteiro e pena ao escrivão. Por fim voltou com um pequeno copo, dentro do qual chacoalhava um par de dados. Ele atirou os dados sobre a pele do tambor repetidas vezes. Queria decerto testar se eram legítimos e se caíam aqui e acolá, como dados devem rolar habitualmente.

Em seguida ele se apressou a entrar novamente, o que não era de se admirar, pois bastava que ele aparecesse para que as pessoas gritassem maldades e provocações em sua direção. Normalmente não teriam feito isso, mas naquele dia estavam sem juízo.

O juiz e os membros do júri foram conduzidos através da praça e se apressaram a entrar no fórum. Tão logo algum deles era visto, a multidão se avivava. Não era o caso de sussurrar ou cochichar, como costumavam fazer. Não, senhor. As pessoas gritavam saudações e comentários a plenos pulmões.

Não havia o que fazer para impedi-los. Os que aguardavam eram muitos e não estavam autorizados a entrar. Os nobres que chegavam ao local podiam discretamente entrar no tribunal. Entre eles estavam Löwensköld de Hedeby, o reverendo de Bro, o proprietário de Ekeby, o capitão de Helgesäter, entre muitos outros. Em todo caso, eles tiveram que escutar como tinham a vida fácil, pois não precisavam ficar de fora lutando por um lugar, além de outras verdades.

Quando não tinham mais ninguém em quem atirar palavrões, mudavam o foco contra uma moça que se mantinha o mais próximo possível da praça de execução. Ela era pequena e magra, e vez após vez os rapazes tentavam avançar para lhe tomar o lugar. Quando isso ocorria, as pessoas ao redor bradavam que ela era a filha de Erik Ivarsson de Olsby, e após essa informação ela era deixada em paz.

No entanto, as alfinetadas choviam sobre ela. Perguntavam se ela preferia ver o pai ou o noivo sendo enforcado. E queriam saber por que a filha de um ladrão podia ter o melhor lugar.

Aqueles que moravam no meio da floresta espantaram-se por ela ter coragem de permanecer, mas então acabaram por se surpreender ainda mais. Ela não temia por si mesma; aquela menina tinha estado presente em cada sessão do julgamento sem chorar uma vez sequer; pelo contrário, esteve sempre calma. Ela olhava e sorria aos acusados, como se estivesse segura de que no dia seguinte seriam liberados. E os acusados se enchiam de nova coragem ao vê-la. Eles pensavam que havia ao menos uma pessoa que sabia que eles eram inocentes. Uma só, que não podia crer que um mero anel de ouro pudesse atraí-los ao crime.

Bela, doce e paciente era sua presença na sala do tribunal. Ela jamais havia irritado alguém, pelo contrário, fizera amizade com o juiz, com os jurados e com os oficiais. Eles não reconheceriam isso, mas se afirmava que o tribunal não teria inocentado os acusados caso ela não estivesse presente durante o julgamento. Era impossível acreditar que alguém que fosse amado por Marit Eriksdotter pudesse ser culpado de um crime.

E naquele momento ela estava ali também, para que os prisioneiros pudessem vê-la. Estava presente para que pudesse ser para eles sua força e seu consolo. Ela queria rezar por eles durante aquela provação, recomendá-los à graça de Deus.

Mas é claro que nenhum dos presentes poderia saber disso. Costuma-se dizer que a maçã não cai longe da árvore, contudo, ela aparentava ser uma pessoa boa e inocente. E com certeza tinha um coração amoroso, logo, podia permanecer onde estava.

Marit devia escutar todos os gritos que vinham em sua direção, mas não respondia, nem chorava ou tentava fugir. Ela sabia que os infelizes prisioneiros ficariam contentes em vê-la. Era realmente a única naquela multidão inteira que tinha por eles um sentimento humano.

Mas, seja como for, ela não estava ali totalmente em vão. Havia um ou outro entre os presentes que tinha suas próprias filhas, igualmente doces e inocentes como ela, e estes pensavam em seu íntimo que não gostariam de vê-las na posição em que Marit se encontrava.

Escutava-se uma ou outra voz que a defendia, ou ao menos procurava silenciar os levianos e falastrões.

Não somente pelo fim da longa espera, mas também por respeito a Marit Eriksdotter, todos ficaram contentes quando as portas do fórum se abriram e o julgamento teve início. Numa procissão solene vieram primeiro os meirinhos, os oficiais e os prisioneiros, que estavam livres, sem correntes ou cordas, embora cada um estivesse acompanhado por dois soldados. Em seguida apareceram o sineiro, o reverendo, os jurados, o escrivão e o juiz. Logo após, surgiram em fila os nobres e alguns camponeses, que por terem grande reputação foram admitidos no espaço reservado.

Os oficiais e os prisioneiros se posicionaram ao lado esquerdo do edifício, o juiz e os jurados formaram um semicírculo à direita, e os nobres ficaram ao meio. O escrivão tomou lugar à mesa, com seus rolos de papel. O grande tambor jazia totalmente solitário no meio do terreno. Nada lhe fazia sombra.

No mesmo instante em que saíam do fórum, deu-se uma agitação no meio da multidão. Muitos rapazes grandes e fortes tentaram abrir caminho até a primeira fileira. Seu principal intento era tomar o lugar de Marit Eriksdotter. Mas, no pavor de acabar num lugar sem visão, ela se agachou, e pequena e leve como era, engatinhou entre as pernas dos soldados que cercavam a praça de execução.

Isso era contrário à toda boa ordem, e assim o xerife fez um sinal ao meirinho para tomar conta de Marit Eriksdotter. O meirinho foi imediatamente até ela, pôs a mão em seu ombro como se a estivesse prendendo, e a conduziu em direção ao fórum. Porém, quando estavam bem próximos do grupo de pessoas diante do edifício, ele a soltou. O meirinho já a tinha visto tantas vezes que sabia que se ela pudesse estar próxima dos prisioneiros, não tentaria fugir, e caso o xerife desejasse prendê-la, seria fácil encontrá-la.

Mas quem tinha tempo para pensar em Marit Eriksdotter? O reverendo e o sineiro deram um passo à frente e se posicionaram no meio da praça. Os dois tiraram os chapéus, e o sineiro entoou um salmo. E quando os que estavam do lado de fora da barreira escutaram o canto, entenderam que havia algo grande e solene prestes a acontecer, o momento mais solene que eles jamais tinham presenciado: uma súplica a Deus todo-poderoso, onisciente, para que fizesse saber Sua vontade.

As pessoas ficaram ainda mais devotas quando o reverendo falou. Ele pediu a Cristo, filho de Deus, que esteve uma vez diante do tribunal de Pilatos, misericórdia para aqueles acusados, para que não recebessem uma sentença injusta. Ele pediu também misericórdia aos jurados, para que não fossem obrigados a condenar um inocente à morte.

Por fim, ele pediu misericórdia a toda paróquia presente, para que não testemunhasse uma grande injustiça como outrora os judeus em Gólgota.

Os presentes escutaram o reverendo com as cabeças descobertas. Abandonaram seus pobres pensamentos terrenos. Tinham alcançado outro estado de espírito. Achavam que ele tinha invocado Deus em pessoa, e sentiam sua presença.

Era um belo dia de outono, com céu azul, nuvenzinhas brancas e árvores repletas de folhas douradas. Aves de migração sobrevoavam a multidão em direção ao sul incessantemente. Era incomum que tantas fossem vistas num só dia. Isso devia significar alguma coisa. Não seria um sinal de que Deus estaria aprovando o comportamento deles?

Quando o reverendo tinha terminado, o juiz principal deu um passo adiante e leu a sentença do rei. Era longa e com muitas frases difíceis de acompanhar. Mas todos entenderam que o poder mundano abandonava seu cetro e sua espada, sua sabedoria e seu conhecimento, e pedia a condução de Deus. E eles rezavam, rezavam para que Deus os ajudasse e os conduzisse.

Em seguida, o xerife pegou os dados e pediu ao juiz e a outros presentes que os jogassem no intuito de verificar se eram legítimos. E o povo escutou os dados caírem contra a pele do tambor com uma agitação peculiar. Então essas coisinhas que tinham feito a infelicidade de tantos homens agora seriam consideradas dignas de interpretar a vontade de Deus?

Após os dados serem testados, os três prisioneiros foram conduzidos adiante. O copo foi entregue primeiro a Erik Ivarsson, que era o mais velho. Mas ao mesmo tempo o xerife explicou a ele que essa ainda não era a jogada decisiva. Primeiro jogariam apenas para definir a ordem entre eles.

A primeira rodada terminou de modo que Paul Eliasson tirou o menor número, e Ivar Ivarsson o mais alto. Portanto, era ele quem devia começar.

Os três acusados vestiam as mesmas roupas que usavam quando tinham encontrado o capitão de cavalaria no caminho da cabana na floresta. Estavam, portanto, sujos e maltrapilhos. E em tão mau estado quanto suas roupas, estavam aqueles que as portavam. Mas, para todos que os viam, era Ivar Ivarsson aquele que se portava melhor entre os três. Para isso colaborou o fato de ele ter sido soldado, enrijecido com muito sofrimento durante a guerra e o cativeiro. Ele ainda se mantinha aprumado e tinha uma conduta calma e corajosa.

Quando Ivar Ivarsson andou até o tambor e recebeu o copo com os dados da mão do xerife, este quis demonstrar como ele deveria segurar o copo e atirar os dados. Mas então o velhinho exibiu um pequeno sorriso nos lábios.

— Não é a primeira vez que jogo dados, xerife — disse ele com a voz bem alta para que todos escutassem. — Bengt, o Forte, de Hedeby e eu nos divertimos com isso durante muitas noites nas terras das estepes. Mas jamais eu poderia crer que teria que jogar com ele mais uma vez.

O xerife queria apressá-lo, mas o povo gostava de ouvi-lo. Era um homem valente, que conseguia fazer piada mesmo diante de uma decisão como aquela.

Ele segurou o copo com as duas mãos, e foi possível notar que ele estava rezando. Depois de recitar um pai--nosso, ele gritou com a voz forte:

— E agora eu peço, Senhor Deus, que sabe da minha inocência, a graça de tirar um número baixo, pois não tenho filho nem amada para chorar por mim.

Após essas palavras, ele jogou os dados sobre o tambor, fazendo um estrondo.

E todos aqueles que estavam do lado de fora da barreira desejaram num instante que Ivar Ivarsson fosse libertado. Gostavam dele por ele ser valente e bondoso. Não conseguiam entender como alguém o teria por criminoso.

Era quase insuportável estar afastado e não saber como os dados tinham caído. O juiz e o xerife se inclinaram para ver, jurados e pessoas ao redor se aproximaram para enxergar o resultado. Todos pareciam espantados, alguns acenavam para Ivar Ivarsson, dois apertaram sua mão, mas a maioria não conseguia saber o que tinha acontecido. A multidão grunhia e se empurrava.

Então o juiz fez um sinal ao xerife, e este subiu as escadas diante do fórum para ser melhor visto e escutado.

— Ivar Ivarsson tirou uma dupla de seis, que é a maior jogada.

Todos entenderam que Ivar Ivarsson estava livre, e ficaram felizes. Muitos chegaram a gritar: "*Que sorte, Ivar Ivarsson!*".

Mas então aconteceu algo que encheu a todos de espanto. Paul Eliasson explodiu em gritos de alegria, tirou o gorro da cabeça e o arremessou aos ares. Foi tão inesperado que os guardas não tiveram tempo de detê-lo. As pessoas se perguntavam acerca de Paul Eliasson. Era mesmo verdade que Ivar Ivarsson tinha sido como um pai para ele, mas o que estava em jogo era sua própria vida. Poderia ele verdadeiramente se alegrar pelo fato de o outro ter se livrado?

Logo em seguida se restabeleceu a ordem. As autoridades foram para a direita, os prisioneiros e guardas para a esquerda, outros espectadores foram em direção ao fórum para que o tambor ficasse desimpedido ao meio, visível a partir de todas as direções. Era Erik Ivarsson que deveria então passar pela prova de morte.

Um homem alquebrado e velho avançou com o andar incerto e vacilante. Quase não conseguiam reconhecê-lo. Poderia aquele ser Erik Ivarsson, que sempre se portou com grandeza e autoridade? Seu olhar estava apagado, e muitos acreditavam que ele mal tinha consciência do que fazia. Mas quando pegou o copo com os dados, ele fez uma tentativa de endireitar as costas e dizer algumas palavras.

— Eu agradeço a Deus por meu irmão Ivar ter sido libertado — disse ele. — Pois apesar de eu ser nesse caso tão inocente quanto ele, ele sempre foi o melhor entre nós dois. E eu rogo a Nosso Senhor Jesus Cristo que me deixe tirar um número ruim, para que minha filha possa se casar com aquele a quem ama e viver feliz com ele até o fim de seus dias.

Acontecia a Erik Ivarsson o que acontece a muitos outros velhos; toda sua antiga força parecia se concentrar na voz. O que ele disse foi escutado por todos e despertou grande comoção. Era muito incomum da parte de Erik Ivarsson reconhecer que alguém tinha sido superior a ele ou desejar a própria morte para fazer outro feliz. Não havia ninguém em toda a multidão que ainda pudesse considerá-lo um bandoleiro ou ladrão. Estavam com lágrimas nos olhos e rogando a Deus para que ele tirasse um número alto.

Ele praticamente não sacudiu os dados, apenas virou o copo para cima e para baixo e os deixou cair. Seus olhos eram velhos demais para que pudesse divisar os pontinhos nos dados, e assim ele nem tornou a cabeça para conferir, ficou somente parado, olhando ao longe.

Mas o juiz e os demais se apressaram em ver. E então se percebeu a mesma expressão de espanto que havia sido vista na jogada anterior em seus rostos.

Era como se a multidão do lado de fora da praça tivesse compreendido o que aconteceu bem antes de o xerife proferir o resultado. Uma mulher gritou "*Deus te abençoe, Erik Ivarsson!*", e depois dela ecoou um coro de vozes gritando: "*Deus seja louvado por tê-lo ajudado, Erik Ivarsson!*".

O gorro de Paul Eliasson voou no ar como na vez anterior, e as pessoas novamente ficaram intrigadas. Ele não pensava no que aquilo significava para si mesmo?

Erik Ivarsson permaneceu calmo e indiferente, nem o menor raio de luz atravessou sua expressão.

Pensaram que ele talvez estivesse à espera de que o xerife anunciasse o resultado, mas mesmo depois de isso ter acontecido e ele saber que tinha jogado uma dupla de seis como o irmão, ainda assim permaneceu impassível. Erik preferiu se arrastar de volta ao lugar que estava, e parecia tão exausto que o meirinho teve que lhe dar o braço para mantê-lo de pé.

Era a vez de Paul Eliasson se apresentar ao tambor e lançar sua sorte, e todos viraram os olhares em sua direção. Muito antes do teste, já imaginavam que ele devia ser realmente o criminoso e que naquele momento já estava condenado, por assim dizer, pois lance maior que o dos Ivarsson não existe nos dados.

Antes não estavam descontentes com esse resultado, mas então viram como Marit Eriksdotter tinha se esgueirado até Paul Eliasson.

Ela o tinha junto ao peito, e nenhum beijo ou carícia foi trocado entre eles. Ela apenas o abraçou, e ele tinha o braço ao redor da cintura dela. Ninguém podia ao certo dizer se eles ficaram por muito tempo daquele modo, pois todas as atenções estavam direcionadas ao jogo de dados.

Lá estavam eles num canto, unidos de um modo inexorável, malgrado os guardas e as autoridades gritando, malgrado milhares de espectadores, malgrado o horrível jogo de vida ou morte em que estavam enredados.

Era amor, e o que os unia era algo acima de qualquer amor terreno. Poderiam ter ficado assim juntos perto do portão da fazenda naquela manhã de verão quando, após terem dançado a noite inteira, pela primeira vez falaram sobre o casamento. Poderiam ter ficado assim após a primeira comunhão, quando sentiram todos os pecados da alma expiados. Poderiam ter ficado assim caso ambos tivessem atravessado o sofrimento da morte, chegado ao outro lado e se encontrado de novo, descobrindo que eles pertenciam um ao outro por toda a eternidade.

Ela o contemplava com profundo amor, e uma voz na alma das pessoas ao redor lhes dizia que era de Paul Eliasson de quem deviam sentir pena. Ele era uma jovem árvore que não poderia florescer e frutificar, ele era um campo de centeio que seria pisoteado antes de poder oferecer a alguém um pouco de sua riqueza.

Ele soltou devagar o braço da cintura de Marit e seguiu o xerife até o tambor. Não se percebia nele nenhuma inquietação ao receber o copo entre as mãos. Ele não fez um discurso ao povo como os outros, somente se virou para Marit.

— Não tenha medo! — disse ele. — Deus sabe que sou tão inocente quanto os outros.

Em seguida, ele sacudiu os dados todo brincalhão e fez com que rodopiassem ao redor do copo, até que atingissem a borda e por fim caíssem sobre o tambor.

Ele permaneceu imóvel e seguiu os dados com o olhar, mas quando finalmente pararam, o público não precisou esperar o xerife anunciar o resultado. Paul Eliasson gritou sozinho com voz firme:

— Tirei dupla de seis, Marit! Tirei dupla de seis, igual os outros!

Não lhe ocorreu mais nada a não ser que seria libertado, e não conseguiu conter a alegria. Paul pulou alto, jogou o gorro para cima, tomou o soldado que estava ao lado e o abraçou e o beijou.

Então todos pensaram: *Que pena que ele é russo. Se fosse sueco, não teria comemorado antes da hora.*

O juiz, o xerife, os jurados e os nobres andaram calma e solenemente até o tambor e examinaram os dados. Mas eles não pareceram contentes dessa vez. Sacudiram a cabeça, e não houve ninguém que felicitasse Paul Eliasson pelo resultado.

O xerife foi pela terceira vez à escadaria do fórum e anunciou:

— Paul Eliasson tirou dupla de seis, que é o lance mais alto.

Uma agitação repentina tomou conta da multidão, mas sem nenhum júbilo. Ninguém pensou que uma trapaça poderia ter sido cometida, isso era impossível. Mas todos se sentiram angustiados, pois a sentença divina não conduziu a nenhuma certeza.

Era então o caso de que todos os três acusados eram igualmente inocentes, ou todos eram igualmente culpados?

Viram o capitão de cavalaria Löwensköld se apressar com ansiedade em direção ao juiz. Ele queria decerto dizer que nada tinha sido resolvido, mas o juiz lhe deu as costas.

O juiz e os jurados se retiraram ao fórum para deliberar, e durante esse tempo ninguém ousava se mexer ou falar, nem mesmo sussurrar. Até mesmo Paul Eliasson permaneceu imóvel. Ele parecia então compreender que a sentença de Deus podia ser interpretada de mais de uma maneira.

O júri apareceu novamente após uma breve deliberação, e o juiz anunciou que o tribunal estava inclinado a interpretar o resultado de modo que todos os três acusados deviam ser libertados.

Paul Eliasson se desvencilhou de seus guardas e atirou novamente o gorro nas alturas no maior dos júbilos, mas foi um tantinho cedo demais, pois o juiz continuou:

— Contudo, a interpretação desse tribunal será submetida ao rei através de um mensageiro, que hoje mesmo será enviado a Estocolmo, e os acusados serão mantidos em custódia até Sua Majestade confirmar a decisão desse tribunal.

VIII

NUM DIA DE OUTONO, TRINTA ANOS APÓS aquele memorável jogo de dados no fórum de Bro, estava Marit Eriksdotter sentada na escadaria diante da casa na fazenda de Storgården em Olsby, onde ela morava, tricotando um par de luvas de lã. Ela queria conferir às luvas um belo padrão em listras e quadrados para agradar a criança a quem as luvas eram destinadas, mas ela não conseguia se lembrar dos pontos de tricô para formar o padrão.

Depois de muito pensar e esboçar desenhos no degrau de madeira com a agulha de tricotar, ela entrou na casa e abriu um baú para procurar uma peça de roupa que pudesse usar como modelo de tricô. Bem no fundo, Marit encontrou um gorro tricotado com esmero e arte, com várias linhas e adornos diferentes. Após ter hesitado por uns instantes, ela levou o gorro consigo até a escadaria.

Enquanto Marit virava e revirava o gorro para entender como tinha sido tricotado, ela percebeu que as traças tinham aberto caminhos através da peça. *Santo Deus, não é de se estranhar*, pensou ela. *Faz no mínimo trinta anos desde a época em que esse gorro era usado diariamente. Foi bom eu tê-lo tirado do baú, senão não teria visto o estado em que se encontra.*

O gorro tinha um pompom grande e vistoso com muitas cores, onde as traças tinham se divertido mais, pois quando Marit sacudiu o gorro os fios voaram para todo lado. O pompom acabou se soltando e caiu sobre seu colo. Ela o apanhou para ver se estava em tão mau estado a ponto de não mais poder ser remendado, quando notou algo brilhando entre os fios. Num ímpeto, ela o agarrou e encontrou um grande anel de ouro com uma pedra vermelha costurado no centro do pompom com um fio grosseiro de linho.

O pompom e o gorro caíram de suas mãos. Ela jamais havia visto o anel, mas não precisava examinar a marca real na pedra ou ler a inscrição no interior do anel para saber a quem pertencia. Ela se apoiou no corrimão, fechou os olhos e ficou imóvel, pálida como uma moribunda. Sentiu como se o coração estivesse a ponto de rebentar.

Por causa daquele anel, seu pai Erik Ivarsson, seu tio Ivar Ivarsson, e seu noivo Paul Eliasson perderam a vida, e agora ela o encontrava cerzido no gorro de Paul!

Como tinha parado ali? Desde quando? Será que Paul sabia disso?

Não! Ela imediatamente disse a si mesma que era impossível que ele soubesse.

Ela recordou como ele balançou o gorro e o atirou ao vento quando acreditava que tanto ele quanto os velhos Ivarsson seriam libertados.

Ela via tudo como se fosse ontem. A multidão, que no começo estava cheia de ódio e se opunha a ela e a seus próximos, mas que ao fim passou a crer em sua inocência. Ela se lembrou do maravilhoso céu azul profundo de outono, as aves de migração que voavam zonzas e sem rumo pelo fórum. Paul as tinha visto e, naquele instante, quando ela se apoiou nele, ele sussurrara que em breve sua alma zanzaria nas alturas como um passarinho perdido. E ele a perguntara se podia ir morar nas vigas do teto de Olsby.

Não, não era possível que Paul soubesse que havia um objeto roubado escondido no gorro que ele tinha atirado contra o maravilhoso céu outonal.

Mas isso aconteceu num outro dia. Seu coração apertava toda vez que pensava naquele instante, porém agora não tinha como não pensar naquilo. Tinha chegado a decisão de Estocolmo, a sentença divina deveria ser interpretada do seguinte modo: os três acusados eram igualmente culpados e deviam ser executados na forca.

Marit estava presente quando a sentença foi executada, para que aqueles homens que ela amava soubessem que existia uma pessoa que acreditava neles e chorava por eles. Mas ela não precisava ir ao patíbulo se não fosse por essa razão. Todas as pessoas tinham mudado de opinião em pouco tempo. Todos aqueles que estavam à sua volta na praça da execução tinham sido gentis com ela.

O povo tinha deliberado e decidido, e se convenceram de que a sentença divina deveria ser interpretada de modo que todos os três acusados fossem inocentados. O velho general deixou que os três tirassem o maior lance. Não podia significar algo diferente. Nenhum deles havia tomado o anel.

Quando os três homens foram conduzidos, houve um lamento unânime. As mulheres choravam, os homens estavam de punhos cerrados e dentes trincados. Dizia-se que a cidade de Bro ficaria em ruínas como Jerusalém, pois ali se tirou a vida de homens inocentes. O povo gritou palavras de consolo aos condenados e zombaram dos carrascos. E muitas maldições recaíram sobre o capitão de cavalaria Löwensköld. Falavam que ele tinha estado em Estocolmo e era por sua culpa que a sentença divina fora interpretada em desfavor dos acusados.

De qualquer modo, todas as pessoas partilhavam com Marit sua fé e confiança, e isso a ajudou muito naquele dia. E não somente naquele dia, como em todo tempo que se passou depois. Se aquelas pessoas que sempre encontrava acreditassem que era filha de um assassino, ela não teria suportado a vida.

Paul Eliasson tinha sido o primeiro a pisar a estreita tábua do patíbulo. Ele começou por se ajoelhar e clamar a Deus, depois se virou ao pastor que estava ao lado e pediu um favor.

Em seguida, Marit viu que o pastor recebeu o gorro das mãos do prisioneiro. Quando tudo tinha terminado, o pastor entregou o gorro a Marit com uma saudação de Paul. Ele lhe mandara aquele objeto como um sinal de que pensara nela em seu último instante.

Poderia ela pensar que Paul lhe tinha mandado o gorro como uma lembrança, caso soubesse que havia escondido dentro dele um objeto roubado? Não, se havia algo certo no mundo era que ele não sabia que o anel, que tinha estado no dedo de um homem morto, estava oculto no gorro.

Marit Eriksdotter se inclinou para a frente num ímpeto e segurou o gorro diante dos olhos para examiná-lo. *Onde Paul pode ter conseguido este gorro?*, pensou ela. *Nem eu nem ninguém aqui da fazenda o tricotou. Ele deve tê-lo comprado na feira, ou talvez tenha trocado com alguém.*

Ela virou o gorro mais uma vez e observou o padrão. *Este gorro já foi uma vez bonito e vistoso*, pensou ela. *Paul gostava de cores fortes. Ele nunca ficava satisfeito quando costurávamos roupas cinza para ele. Queria um pouco de cor no enxoval. Seus gorros tinham que ser de preferência vermelhos, com um grande pompom. Ele deve realmente ter gostado deste aqui.*

Ela pôs o gorro de lado e se apoiou no corrimão da escada para deitar os olhos ao passado.

Imaginou-se naquela manhã na floresta, quando Ingilbert foi aterrorizado até a morte. Ela viu como Paul, junto com seu pai e seu tio, se agachou sobre o corpo. Os dois velhos tinham decidido que Ingilbert seria carregado até a vila, e foram cortar galhos para fazer uma maca. Mas Paul se deteve por um instante para observar o gorro de Ingilbert. Ele se encheu de desejo pelo gorro, pois era tricotado com fios vermelhos, azuis e brancos em vários padrões. Sem pensar, ele trocou o seu gorro pelo de Ingilbert. Não fez isso por mal. Talvez intencionasse conservá-lo não mais que por um breve instante. Seu próprio gorro, que ele tinha deixado com Ingilbert, era realmente tão bom quanto, mas não era tão multicolorido nem tricotado com tanta arte.

Ingilbert tinha costurado o anel dentro do gorro quando partiu de casa. Talvez tenha acreditado que seria perseguido e por isso procurou esconder o anel. Quando ele morreu, ninguém pensou em procurar o anel no gorro; Paul Eliasson menos do que qualquer outro.

E foi assim que tudo se passou! Ela podia jurar que tinha sido assim, mas nunca se tem certeza absoluta.

Guardou o anel no baú, e com o gorro na mão foi até o estábulo para falar com a criada.

— Venha aqui fora, Märta! — chamou ao escuro interior do estábulo. — Me ajude com esse padrão de tricô que não consigo decifrar!

Quando a criada apareceu, ela lhe estendeu o gorro.

— Eu sei que você é habilidosa no tricô, Märta — disse Marit. — Quero aprender a fazer esse ponto, mas não consigo entendê-lo. Olhe isso aqui! Você entende muito mais dessa arte do que eu.

A criada tomou o gorro e o observou. Ela parecia espantada. Saiu da sombra do estábulo e olhou o gorro novamente.

— De onde veio isto? — perguntou.

— Ficou guardado no meu baú por muitos anos — disse Marit. — Por que você pergunta?

— Porque eu tricotei este gorro para o meu irmão Ingilbert no último verão em que ele esteve vivo — disse a criada. — Nunca mais vi este gorro desde a manhã em que ele partiu de casa. Como pode estar aqui agora?

— Talvez tenha caído da cabeça dele — disse Marit. — Talvez algum de nossos empregados tenha encontrado o gorro na floresta e o trazido até aqui. Mas se lhe traz memórias difíceis, talvez você não queira tricotar esse padrão para mim.

— Se me emprestar, amanhã eu lhe entrego pronto — disse a criada.

Märta pegou o gorro e voltou ao estábulo, mas Marit ouviu que ela tinha lágrimas na voz.

— Não, não quero que faça se isso a atormenta — disse ela.

— Nada que eu faça por você pode me atormentar, Marit.

Foi de fato Marit quem pensara em Märta Bårdsdotter quando ela ficou sozinha na floresta após a morte do pai e do irmão, e a convidara para trabalhar na fazenda de Storgården em Olsby. Märta jamais se esquecia de mostrar sua gratidão por Marit por ter sido readmitida na sociedade.

Marit retornou à escadaria da casa e pegou as agulhas, mas não tinha sossego para voltar a trabalhar. Em vez disso, encostou a cabeça no corrimão como antes, procurando pensar no que tinha que fazer então.

Se alguém em Olsby soubesse qual é a aparência das mulheres que abandonam a vida para morar num convento, esse alguém teria dito que Marit se parecia com essas mulheres. Ela tinha o rosto amarelo-pálido e totalmente sem rugas. A um desconhecido seria impossível dizer se ela era jovem ou velha. Havia nela um tanto de placidez e serenidade, como em alguém que renunciou a qualquer desejo pessoal. Jamais era vista muito alegre, tampouco muito triste.

Após o duro golpe, Marit sentiu como se sua vida estivesse acabada. Ela tinha herdado Storgården do pai, mas sabia que, caso quisesse conservar a propriedade, deveria se casar para que a fazenda tivesse um senhor. Para se livrar disso, ela abriu mão do lugar em nome de um sobrinho, sob a única condição de receber moradia e sustento na fazenda pelo tempo que fosse viva.

Ela ficou satisfeita com esse acordo e jamais se arrependera. Não havia perigo de as horas se tornarem longas para ela por falta de trabalho. As pessoas tinham grande confiança em sua sabedoria e bondade, e assim que alguém ficava doente costumavam chamar por ela. Também lhe confiavam as crianças. Sua casa estava sempre cheia de pequerruchos. Sabiam que ela tinha tempo para ajudá-los em suas pequenas preocupações.

Quando então Marit estava ali pensando no que faria com o anel, foi tomada por um grande ódio. Ela imaginou quão fácil teria sido encontrá-lo. Por que o general não fez com que fosse descoberto? Pelo que ela conseguia entender, ele soubera o tempo todo onde estava. Mas por que ele não arranjou para que o gorro de Ingilbert fosse examinado? No lugar disso, permitiu que três inocentes fossem condenados à morte por causa do anel. Ele teve poder para isso, mas não para permitir que o anel fosse encontrado.

Num primeiro instante, Marit pensou em ir ao reverendo contar a história e deixar o anel com ele; mas não, isso ela não queria.

O fato era que Marit, onde quer que se mostrasse, tanto na igreja como nas festas, era recebida com grande respeito. O desprezo que costuma pairar sobre a filha de um criminoso não pesava sobre ela. As pessoas tinham a firme convicção de que uma injustiça tinha sido feita, e elas queriam uma reparação. Até os nobres costumavam se dirigir a Marit quando a viam no caminho da igreja. E mesmo a família de Hedeby, não o capitão de cavalaria, mas sua esposa e genro, fizeram algumas tentativas de se aproximar de Marit. Mas, em relação a eles, ela sempre manteve distância. Não tinha trocado uma palavra sequer com eles desde o julgamento.

Ela iria então se apresentar e reconhecer que, de certo modo, a família de Hedeby tinha razão? O anel estivera em posse dos homens de Olsby, afinal. Talvez chegassem a ponto de dizer que eles sabiam onde estava, que tinham suportado a prisão e o interrogatório na esperança de serem liberados e terem a oportunidade de vender o anel.

De toda forma, Marit entendeu que, caso entregasse o anel e contasse onde o havia encontrado, acabaria dando razão ao capitão de cavalaria e mesmo ao seu pai. Mas Marit não queria fazer nada em benefício dos Löwensköld.

O capitão de cavalaria Löwensköld era então um homem de oitenta anos, rico, poderoso, respeitado e honrado. O rei o tinha feito barão, e nenhuma infelicidade jamais o tinha acometido. Ele tinha filhos excelentes, abastados e bem casados.

Aquele homem tinha tirado tudo de Marit, absolutamente tudo. Ela estava ali sozinha, sem propriedade, sem marido, sem filhos, por obra dele. Por muitos anos havia esperado que algum castigo o atingisse, mas nada aconteceu.

Marit despertou de seus pensamentos distantes. Escutou pezinhos de criança disparando através do quintal e entendeu que procuravam por ela.

Eram dois meninos de mais ou menos dez ou onze anos. Um era morador da casa, Nils; o outro ela não conhecia. E eles realmente vieram para lhe pedir um favor.

— Marit — disse Nils —, este aqui é o Adrian de Hedeby. Nós estávamos na estrada jogando taco, mas nos desentendemos e eu rasguei o gorro do Adrian.

Marit observou Adrian. Era um belo menino, com um jeito sereno e amistoso. Ela pôs a mão sobre o peito. Sempre sentia dor e angústia ao ver um Löwensköld.

— Nós já fizemos as pazes — disse Nils. — E pensei em perguntar se você pode consertar o gorro do Adrian antes de ele ir para casa.

— É claro — disse Marit —, conserto, sim.

Ela recebeu o gorro rasgado e se levantou para entrar na casa.

— Só pode ser um sinal de Deus — murmurou. — Brinquem aí fora por um tempo! — disse ela aos meninos. — Logo fica pronto.

Fechou a porta e ficou sozinha enquanto costurava o buraco no gorro de Adrian Löwensköld.

IX

PASSARAM-SE MAIS ALGUNS ANOS SEM QUE ninguém falasse sobre o anel. Mas então aconteceu de a senhorita Malvina Spaak se mudar para Hedeby na função de governanta, no ano de 1788. Ela era pobre, filha de um pastor de Sörmland. Jamais tinha posto os pés em Värmland e não fazia ideia do que ia encontrar no local onde trabalharia.

Logo no dia em que chegou, a srta. Spaak foi convocada pela baronesa Löwensköld para ouvir uma confissão bem peculiar.

— Creio ser meu dever — começou a patroa — adverti-la logo que Hedeby é assombrada por um fantasma. Não é pouco frequente que, nas escadarias e corredores, às vezes até mesmo dentro dos quartos, se encontre um homem grande, forte, portando botas de mosqueteiro e capa de uniforme azul, mais ou menos como um velho carolíngio.

Ele aparece de súbito na frente de alguém quando se abre uma porta ou se chega num lance de escada, e antes que se tenha tempo de perceber quem é, desaparece. Ele não faz nada, pelo contrário, acreditamos que nos queira bem, e rogo à senhorita que não tenha medo ao encontrá-lo.

A srta. Spaak tinha nessa época a idade de vinte e um anos, era leve e ágil, indescritivelmente habilidosa em toda sorte de ocupação e afazer, focada e decidida, tanto que fazia a casa funcionar como um relógio. Mas tinha um medo imenso de fantasmas, e jamais teria aceitado a colocação em Hedeby caso soubesse disso com antecedência. Mas então já estava lá, e uma moça pobre tem que pensar muito bem antes de recusar uma boa colocação. Portanto, ela somente agradeceu à baronesa e assegurou que não tinha intenção de se deixar amedrontar.

— Nós não entendemos o motivo de ele estar aqui — continuou a patroa. — Minhas filhas pensam que ele se parece com o avô do meu marido, o general Löwensköld, que a senhorita pode ver no quadro ali adiante, e por isso elas costumam chamá-lo de general. Mas, como a senhorita pode imaginar, ninguém é capaz de afirmar se é realmente o general — que foi uma pessoa notável — que voltou da morte. A verdade é que não entendemos nada disso tudo. E caso a criadagem venha com explicações, espero que a senhorita tenha o bom senso de não dar ouvidos.

A srta. Spaak agradeceu mais uma vez e assegurou que jamais permitiria qualquer fofoca da criadagem acerca dos patrões, e com isso a audiência chegou ao fim.

Ela era na verdade apenas uma pobre criada, mas como veio de uma boa família, foi admitida na mesa dos patrões, junto com o inspetor e a preceptora. No mais era bela, pequena e esguia de corpo, tinha o cabelo loiro e as faces rosadas, de forma que não trazia nenhuma vergonha à mesa senhorial. Todos a consideravam uma pessoa de coração bondoso que sabia se fazer útil de várias formas, e ela logo se tornou querida por todos.

Cedo ela percebeu que o fantasma mencionado pela baronesa era um assunto comum durante as refeições. Ou era uma das meninas ou era a preceptora que anunciava: "*Hoje fui eu quem viu o general*", como se isso fosse algo para se vangloriar.

Não passava um dia sem que alguém lhe perguntasse se já tinha se deparado com o espectro, e, como ela sempre negava, podia notar que isso conduzia a um certo desprezo. Era como se ela fosse pior do que a preceptora ou o inspetor, pois ambos tinham visto o general incontáveis vezes.

Na realidade, a srta. Spaak jamais tinha ouvido falar de tamanha despreocupação em relação a um fantasma, e pensou desde o primeiro instante que isso levaria a um desfecho terrível. Ela dizia a si mesma que, se de fato houvesse um ser de outro mundo que se mostrava, então com certeza era um infeliz que pedia ajuda dos vivos para ter paz no túmulo. Ela pertencia àquelas naturezas resolutas, que se acaso estivesse no comando teria feito uma séria investigação para chegar ao fundo da questão em vez de tomá-la como assunto durante o jantar.

No entanto, a governanta conhecia as exigências de sua posição, e uma palavra de reprovação acerca do comportamento dos patrões jamais passaria por seus lábios.

Ela teve o cuidado de não participar das piadas sobre o espectro e manteve para si suas preocupações.

A srta. Spaak tinha estado por um mês inteiro em Hedeby sem ver o fantasma. Uma manhã, porém, quando ela estava no sótão para separar a roupa suja, encontrou sem aviso um homem na escada, que rapidamente se afastou para que ela pudesse passar. Foi em plena luz do dia, e ela não pensou de forma alguma que fosse uma assombração. Apenas se perguntou o que um homem de fora poderia estar fazendo no sótão, e se virou para perguntar-lhe o que o trazia ali. Mas não viu ninguém em toda a escadaria. A governanta se apressou de volta ao sótão, olhou em volta, examinou os cantos escuros e os escaninhos, já pronta para agarrar um ladrão. Mas quando nenhuma criatura apareceu, ela num instante entendeu do que se tratava.

— Como eu sou cabeça de vento! — exclamou. — Aquele era naturalmente ninguém menos do que o general.

É claro, é claro! O homem estava mesmo vestido com uma capa azul, exatamente como o velho general no retrato, com as mesmas botas enormes. O rosto ela não conseguia reconhecer por completo, estava um pouco apagado, com os traços enevoados.

A srta. Spaak ficou um bom tempo no sótão tentando se recompor. Os dentes rangiam, as pernas fraquejavam. Se ela não tivesse que preparar o jantar, não teria nunca descido a escadaria. Ela logo decidiu manter para si o que tinha visto, e não permitiria que os outros zombassem dela.

Contudo, não conseguia tirar o general de seus pensamentos. Além disso, não podia disfarçar que havia algo de diferente nela, pois mal se sentaram à mesa do jantar quando o filho da casa, um rapaz de dezenove anos recém-chegado de Uppsala para o feriado de Natal, virou-se para ela e disse:

— Hoje a srta. Spaak viu o general — disse ele, e, após essa declaração impiedosa, ela não teve mais condições de negar.

Num instante, a srta. Spaak se viu no centro das atenções do jantar. Todos se viraram para ela com perguntas, que ela respondia o mais laconicamente possível. Infelizmente não podia negar que teve um pouco de medo, e então a diversão deles foi indescritível. Medo do general! Não, quem poderia imaginar!

A srta. Spaak já tinha notado que o barão e a baronesa nunca tomavam parte nas piadas acerca do general. Eles somente deixavam os outros continuar, sem intervir. Mas ela reparou que o jovem estudante tomou o assunto com muito mais seriedade do que um jovem comum.

— Eu, de minha parte — disse ele —, invejo todos que podem ver o general. Gostaria de ajudá-lo, mas para mim ele nunca apareceu.

Ele disse isso com real pesar e uma expressão no rosto tão bela que a srta. Spaak em seu íntimo pediu a Deus que ele logo pudesse ter seu desejo realizado. O jovem barão com certeza se compadeceria com o sofrimento do espectro e o mandaria de volta ao túmulo e ao repouso.

Durante o tempo que se seguiu, a srta. Spaak era mais que qualquer outra pessoa objeto da atenção do espectro. Ela o via com tanta frequência que quase se acostumou com ele. Era uma aparição repentina, instantânea, às vezes na escada, às vezes no corredor, às vezes num canto escuro da cozinha.

Era impossível descobrir um motivo para a assombração. A srta. Spaak nutria uma pequena suspeita de que o espectro procurava por alguém na casa. Mas como ele desaparecia no mesmo segundo em que o olhar de uma pessoa o encontrava, ela não pôde chegar a nenhuma conclusão acerca das intenções do fantasma.

E apesar das declarações da baronesa, a srta. Spaak notou que os jovens de Hedeby estavam totalmente convencidos de que era o velho general Löwensköld que tinha voltado da morte.

— Ele está entediado em seu túmulo — diziam as meninas — e se interessa por acompanhar o que nós fazemos aqui em Hedeby. Não se pode negar a ele esse pequeno prazer.

A governanta, que toda vez que via o general precisava se esconder na despensa para tremer as mãos e bater os dentes ao abrigo das risadas das meninas, teria preferido que ele não se interessasse tanto por Hedeby. Mas ela compreendia que a família de fato sentiria falta daquela presença.

Por exemplo, tarde da noite as mulheres estavam trabalhando. Fiavam ou costuravam, e por vezes a leitura terminava e os assuntos da conversação também. Então de repente uma das moças soltava um grito. Ela tinha visto um rosto, não, na verdade somente duas fileiras de dentes luzindo, bem perto da vidraça. Apressavam-se para acender a lamparina, abriam a porta de entrada, e todas as mulheres, com a baronesa na frente, corriam para encontrar o intruso. Mas naturalmente não descobriam ninguém, voltavam para dentro, cerravam as janelas, davam de ombros e diziam que não podia ser ninguém senão o general. Porém, durante aquele intervalo elas tinham despertado. Tinham algo em que pensar, e a roda da roca girava com nova velocidade e a conversa recomeçava.

Toda a família estava convencida de que tão logo deixavam a sala de jantar à noite, o general tomava posse do ambiente e, se ousassem entrar na sala, o encontrariam ali. Ninguém se importava que ele ficasse lá dentro. A srta. Spaak acreditava que eles se confortavam com a ideia de que o errante patriarca podia passar a noite em uma sala quente e agradável.

Uma das peculiaridades do general era o gosto por encontrar a sala limpa e organizada quando se mudava para lá. Cada noite a governanta via como a baronesa e as filhas recolhiam seus trabalhos, a roca de fiar, os bastidores de bordado, e levavam tudo para outro quarto. Sequer um fiapo de linha ficava no chão.

Certa noite, a srta. Spaak, que dormia no cômodo ao lado da sala, acordou com um estrondo na parede em que seu leito se apoiava. Parecia que um objeto havia batido na parede e depois rolado no chão. Ela mal pôde se recompor antes que um novo golpe e um novo som de algo rolando se sucedessem, e isso se repetiu mais duas vezes.

— Senhor Deus, o que ele está fazendo aí dentro? — suspirou ela, pois entendeu de onde o barulho vinha. Não era realmente uma vizinhança agradável. Ela ficou deitada suando frio a noite inteira com medo de o general entrar no quarto e aterrorizá-la.

A srta. Spaak levou consigo a cozinheira e a criada quando na manhã seguinte resolveu entrar na sala para ver o que tinha acontecido. Mas nada fora destruído, nenhuma desordem se via, a não ser quatro maçãs que jaziam no meio da sala. Ai, ai, na noite anterior tinham comido maçãs diante da lareira, e quatro maçãs tinham sido esquecidas no parapeito. Isso não era do agrado do general, e a srta. Spaak pagou por seu descuido com uma noite insone.

Por outro lado, ela não podia jamais se esquecer como certa vez recebeu dele uma verdadeira prova de amizade.

Houve uma recepção em Hedeby, um grande jantar com muitos convidados. A srta. Spaak estava acalorada de tanto serviço, com carne assando, bolos e tortas ao forno, caldos e molhos ao fogo na cozinha. E não era apenas isso. A governanta também ia até a sala para inspecionar o serviço de mesa, receber a prataria que a baronesa em pessoa tinha selecionado para ela, além de mandar buscar vinho e cerveja da adega e cuidar para que as velas fossem postas nos castiçais. E quando se tem em mente que a cozinha em Hedeby ficava em um edifício adjacente, de modo que para lá chegar era preciso correr pelo pátio, que nessa grande ocasião estava repleto de convidados e servos confusos, então compreende-se bem o quanto uma pessoa tinha que ser habilidosa para coordenar essa empreitada.

Mas tudo correu nos conformes. Não havia nenhuma mancha de dedão nas taças, não havia nada estragado nos recheios das tortas, a cerveja tinha espuma, o caldo estava bem temperado e café nem forte nem fraco. A srta. Spaak tinha mostrado o que sabia fazer, e a própria baronesa a cumprimentara dizendo que o jantar não poderia ter sido melhor.

Mas então houve um terrível revés. Quando a governanta foi devolver a prataria à baronesa, faltava uma colher de sopa e uma colher de chá.

Foi uma comoção. Naquele tempo não podia acontecer coisa pior na casa do que se dar pela falta da prataria. Foi um alvoroço e uma inquietação geral em Hedeby. Não se fazia outra coisa a não ser procurar. Alguém se lembrou que uma cigana tinha estado dentro da cozinha no dia da festa, e estavam prontos para viajar a terras selvagens para apanhá-la. Havia suspeita e falta de senso. A patroa suspeitava da empregada, a empregada das servas, as servas entre si e de todo mundo. E tanto umas como as outras estavam com os olhos vermelhos de chorar, pois pensavam que as outras pensavam que elas tinham afanado as duas colheres.

Dois dias se passaram e nada fora encontrado, e a srta. Spaak estava à beira do desespero. Ela tinha ido ao chiqueiro e examinado o cocho para ver se as colheres tinham sido ali escondidas. Tinha subido em segredo aos aposentos das criadas e procurado dentro de seus bauzinhos. Tudo fora em vão, e ela não sabia mais onde poderia continuar a busca. A srta. Spaak percebeu que a baronesa e toda a criadagem suspeitavam dela, que era de fora. Podia sentir que seria demitida, caso não pedisse demissão antes.

A srta. Spaak estava apoiada ao fogão enquanto chorava, e as lágrimas caíam chiando sobre a chapa quente, quando teve a intuição de se virar. Ela assim o fez, e lá estava o general junto à parede da cozinha, apontando para uma prateleira que ficava bem no alto num lugar inacessível, e por isso nunca era usada para guardar nada.

O general, como de costume, desapareceu no instante que foi visto, mas a srta. Spaak seguiu a indicação dele. Ela pegou a escada da despensa, empurrou-a até a prateleira, estendeu a mão e sentiu um velho pano sujo. Dentro do pano estavam enroladas as duas colheres de prata.

Como tinham parado ali? Sem dúvida tinha acontecido sem o conhecimento ou intuito de ninguém. Durante a correria infinda de uma grande festa, tudo pode acontecer. O pano tinha sido descartado, e por estarem no meio do caminho as colheres foram junto, sem que ninguém percebesse.

Mas tinham sido enfim reencontradas, e a srta. Spaak, com o rosto radiante, as levou até a baronesa e se tornou novamente o braço direito de todas as pessoas.

Há males que vêm para o bem. Quando o jovem barão Adrian foi para casa na primavera, ouviu dizer que o general tinha feito um favor incomum à srta. Spaak, e assim ele passou a notá-la de um modo totalmente diverso. Tão logo podia, ele a procurava na sala ou na cozinha exterior. Às vezes ele vinha com o pretexto de que precisava de linha para a vara de pescar, ou às vezes dizia que tinha sido atraído pelo cheiro gostoso de *semla*[5] quentinho do forno. Nessas ocasiões, ele sempre conduzia a conversa para a área do sobrenatural. Adrian deixava a governanta

5 *Semla* é um pão doce temperado com cardamomo, recheado com creme de amêndoas, chantilly, polvilhado com açúcar e servido tradicionalmente dentro de uma tigela de leite morno.

contar relatos de assombrações nas grandes propriedades de Sörmland, como Julita e Eriksberg, e queria saber o que pensava sobre elas.

Entretanto, com mais frequência ele queria falar sobre o general. Dizia que não conseguia discutir a questão com os outros, pois eles sempre tomavam o assunto pelo lado cômico. Ele, por sua vez, sentia compaixão pelo pobre espectro e queria ajudá-lo a ter paz. Se apenas soubesse o que fazer!

A srta. Spaak disse então que em sua humilde opinião havia algo na casa que o fantasma estava procurando.

O jovem barão empalideceu um pouco. Ele encarou a governanta com um olhar indagador.

— *Ma foi*[6], srta. Spaak — disse ele. — Que boa ideia! Mas asseguro à senhorita que caso nós aqui de Hedeby possuíssemos algo que o general desejasse, não hesitaríamos um instante sequer em entregar a ele.

A srta. Spaak entendeu muito bem que o jovem barão a procurava única e exclusivamente por causa da assombração, embora ele fosse um jovem muito amável e belo. Caso ela dissesse o que tinha em mente, ele seria mais que belo. Ele andava com a cabeça um tanto inclinada para a frente, tinha um ar pensativo, e assim muitos achavam que era sério demais. Mas era porque não o conheciam. Às vezes, ele erguia a cabeça, gracejava e pregava peças piores do que qualquer outro. Porém, independentemente do que fizesse, sempre havia um indescritível charme em seus gestos, em sua voz e em seu sorriso.

6 Em francês no original, "de fato", "honestamente" ou "minha fé".

A srta. Spaak tinha ido à igreja num domingo de verão e voltava para casa por um pequeno atalho que passava ao lado da sede da paróquia. Uma ou outra pessoa que saía da igreja tomava o mesmo o caminho, e a governanta, que tinha pressa, teve que ultrapassar uma mulher que andava devagar demais para ela. Logo em seguida, chegou a uma cerca que era bastante incômoda de atravessar e, prestativa como era, pensou na vagarosa caminhante que se aproximava. A srta. Spaak parou para ajudá-la a atravessar a cerca, estendeu a mão para ela e percebeu então que a mulher não era tão velha como inicialmente tinha pensado. Ela tinha o rosto branco e estranhamente sem rugas, tanto que a senhorita pensou que talvez não tivesse mais que cinquenta anos. Embora claramente não aparentasse ser mais do que uma típica camponesa, ela tinha uma dignidade peculiar, como se tivesse vivido algo que houvesse elevado sua condição.

Quando a mulher passou a cerca, ela e a governanta andaram lado a lado no caminho estreito.

— A senhorita deve ser a que está tomando conta de Hedeby — disse a camponesa.

— Sim, sou eu — respondeu a srta. Spaak.

— Eu me pergunto se está gostando de lá.

— Por que alguém não iria gostar de um lugar tão bom? — perguntou a senhorita com certa reserva.

— O povo diz que lá tem fantasma.

— Não se deve crer no que o povo diz — disse a governanta em tom de reprimenda.

— Não, não se deve mesmo, não. Sei disso — disse a outra.

Fez-silêncio por um tempo. Dava para perceber que aquela mulher sabia de algo, e na verdade a srta. Spaak ardia de desejo de perguntá-la. Mas não era certo, nem apropriado.

Foi a mulher quem recomeçou a conversa:

— Eu acho que a senhorita parece ser uma pessoa boa — disse ela —, e por isso quero lhe dar um bom conselho. Não fique muito tempo em Hedeby, pois ele, que anda por lá, não é boa companhia. Ele não desiste enquanto não tem o que quer.

A srta. Spaak intencionava inicialmente agradecer o aviso com um pouco de altivez, mas essas últimas palavras despertaram sua curiosidade.

— O que é que ele quer? A senhora sabe?

— Não lhe contaram tudo? — perguntou a camponesa. — Então não vou dizer mais nada. Talvez seja melhor que a senhorita não saiba.

Com isso, ela estendeu a mão à srta. Spaak, dobrou por outro caminho e logo desapareceu de vista.

A srta. Spaak teve o cuidado de não comentar essa conversa com toda a família ao jantar, mas na tarde seguinte, quando o barão Adrian a procurou na despensa, ela contou-lhe o que a mulher desconhecida havia dito. Ele ficou bastante surpreso.

— Deve ter sido Marit Eriksdotter de Olsby — disse ele. — Saiba, senhorita, que é a primeira vez em trinta anos que ela diz uma palavra amigável a alguém de Hedeby. Certa vez ela remendou um gorro para mim que um menino de Olsby tinha rasgado, mas me olhou como se quisesse arrancar meus olhos.

— Mas ela sabe o que é que o general procura?

— Ela sabe melhor do que ninguém. E eu sei também. Meu pai me contou a história. Mas meus pais não querem que seja contada para minhas irmãs. Elas ficariam apavoradas e talvez não conseguiriam mais morar aqui. Eu não posso contar à senhorita.

— Deus nos proteja! — disse a governanta. — Se o barão proibiu, então...

— Lamento muito — disse o barão Adrian —, pois creio que a senhorita poderia me ajudar.

— Ah, isso seria tão bom!

— Pois repito — disse o barão Adrian —, quero ajudar este pobre espectro a ter paz. Não tenho medo dele. Vou segui-lo tão logo ele me chame. Por que ele se mostra a todos os outros e jamais para mim?

X

Adrian Löwensköld estava dormindo numa mansarda em Hedeby quando foi despertado por um leve rumor. Abriu os olhos, e como as janelas não estavam cerradas e lá fora reinava uma noite de verão, viu claramente que a porta estava entreaberta. Ele pensou que a porta tivesse sido aberta pelo vento, mas então viu na fresta um vulto escuro e inclinado, que espiava para dentro do quarto.

Adrian distinguiu um velho vestido com um uniforme de cavalaria fora de moda. Um casaco de pele de alce luzia debaixo da capa meio desabotoada, as botas passavam do joelho, e ele mantinha o longo sabre inclinado para cima, como que para não esbarrar em nada.

Com certeza é o general, pensou o jovem barão. *Que bom. Aqui ele vai ver alguém que não tem medo dele.*

Todos os outros que tinham visto o general costumavam dizer que ele desaparecia assim que punham os olhos nele. Mas dessa vez não se passou assim. O general permaneceu à porta, mesmo bem depois de Adrian tê-lo descoberto. Após alguns minutos, quando ele pensou ter se assegurado de que Adrian podia suportar seu olhar, ergueu a mão e fez um gesto para que o seguisse.

Adrian imediatamente se sentou na cama. *É agora ou nunca*, pensou ele. *O general finalmente pede minha ajuda, então vou segui-lo.*

Na verdade, ele esperou por esse instante durante muitos anos. Tinha se preparado para isso, fortalecido sua coragem imaginando aquele momento. Sempre soube que tinha que passar por essa provação.

Adrian não queria deixar o general esperando, e do jeito que saiu da cama ele o seguiu. Puxou apenas um lençol da cama com o qual se envolveu.

Quando estava no meio do quarto, ocorreu-lhe que poderia ser perigoso se entregar a um ser de outro mundo, e deu alguns passos para trás. Mas então viu como o general estendeu as duas mãos em sua direção, como numa prece desesperada.

Que tolice é essa?, pensou. *Terei medo antes mesmo de sair do quarto?*

Ele se aproximou da porta enquanto o general se arrastava pelo corredor afora andando de costas, como que para se assegurar de que o jovem o seguia.

Quando Adrian estava prestes a passar o umbral da porta e deixar o quarto para adentrar o corredor, sentiu novamente um arrepio de terror. Algo lhe dizia que devia fechar a porta e correr de volta para a cama. Começou a suspeitar que tinha calculado mal suas forças. Ele não era um daqueles que ficam incólumes quando voltam os olhos aos segredos do outro mundo.

Porém, ele tinha ainda uma migalha de coragem. Adrian argumentou consigo mesmo e considerou que o general com certeza não queria levá-lo a perigo algum. Sua intenção era somente mostrar onde o anel se encontrava. Caso ele aguentasse apenas mais alguns minutos, alcançaria a meta que tinha buscado por tantos anos e mandaria o fatigado errante de volta ao descanso eterno.

O general tinha parado no meio do caminho para aguardá-lo. Fora do quarto era mais escuro, mas Adrian ainda distinguia com clareza o vulto sombrio com as mãos estendidas em prece. Ele se encheu de coragem, deu um passo além do umbral, e eles seguiram adiante.

O espectro se afastou até a escada, e quando viu que Adrian o seguia, começou a descer. Andava sempre de costas, parando em cada lance da escada, como que arrastando o jovem hesitante com o poder de sua vontade.

Era uma caminhada lenta e com muitas interrupções; mesmo assim seguiam avante. Adrian tentava reacender a coragem se lembrando de como tantas vezes tinha se gabado diante das irmãs dizendo que seguiria o general assim que ele o chamasse. Lembrou também de como desde a infância lhe ardia o desejo de investigar o desconhecido e adentrar regiões proibidas. Então seu grande momento havia chegado, e ele seguia um espectro em caminho incerto. Sua miserável covardia o impediria de finalmente descobrir alguma coisa?

Dessa maneira ele se obrigou a continuar, mas tomava o cuidado de não se aproximar demais do espectro. Eles mantinham sempre a distância de um par de côvados. Quando Adrian estava no meio da escada, o general já se encontrava no fim. Quando Adrian alcançava o fim da escada, o general já estava no corredor.

Mas ali Adrian parou novamente. À sua direita, bem ao lado da escada, ele viu a porta do quarto dos pais. Ele pôs a mão sobre a maçaneta, não para abrir a porta, mas somente para acariciá-la. Se os pais imaginassem que ele estava ali fora com aquela companhia! Ele ansiava por se jogar nos braços de sua mãe. Tinha a impressão de que estaria se rendendo completamente ao jugo do general quando soltasse aquela maçaneta.

Enquanto ainda hesitava com a mão sobre a maçaneta, viu que a porta do vestíbulo se abriu, que o general atravessou o umbral e saiu ao ar livre.

O andar de cima e a escadaria ainda estavam envoltos em sombra, mas através da porta aberta entrou uma luz irradiante, e com essa luz Adrian viu pela primeira vez as feições do general.

Era o rosto de um homem velho, como ele esperava encontrar. Adrian o reconheceu a partir do quadro no salão. Mas sobre aqueles traços não repousava a paz dos mortos, naqueles traços se exprimia uma cobiça selvagem, e na boca pairava um sinistro sorriso de triunfo e de certeza da vitória.

Era aterrorizante a visão de um morto que espelhava paixões terrenas. Longe, bem longe dos desejos e sofrimentos humanos é onde imaginamos a morada dos que já partiram. Nós os vemos separados de toda vontade terrena, tomados somente por matéria celestial. No interior daquele ser, que se aferrava ao terreno, Adrian acreditava ver um sedutor, um espírito mau, que queria arrastá-lo para a perdição.

Ele cedeu ao terror. Numa angústia insensata, abriu a porta do quarto dos pais e se precipitou para dentro da peça gritando:

— Pai! Mãe! O general!

E no mesmo instante caiu desmaiado.

A pena cai da minha mão. Não é inútil tentar escrever isso tudo? Para mim a história foi contada ao anoitecer, junto à lareira. Escuto ainda a voz persuasiva de quem a contou. Sinto o arrepio espectral bem na base da espinha, aquele arrepio que vem não só do terror, mas também do suspense.

Com que tensão nós escutávamos exatamente essa história, que erguia uma ponta do véu que cobre o desconhecido! Que clima especial ela impunha, como se uma porta se abrisse, como se finalmente algo saísse andando da grande escuridão!

Quanto ela tem de verdade? Uma contadora a herdou de outra contadora, uma pôs um pouco mais, outra tirou um pedaço. Mas será que não contém um núcleo de verdade? Não dá a impressão de ser a descrição de algo que aconteceu de verdade?

O espectro, que andava ao redor de Hedeby, que era visto à luz do dia, que intervia na rotina da casa, que encontrava objetos esquecidos, quem ele era, o que ele era?

Não há algo excepcionalmente claro e preciso em sua aparição? Ele não difere dos variados fantasmas que assombram mansões por uma certa peculiaridade? Não seria realmente o caso de que a srta. Spaak o tenha escutado jogando maçãs contra a parede da sala, e de que o jovem barão Adrian o tenha seguido no sótão e pela escadaria?

Mas, nesse caso... Talvez algum desses que conseguem ver a realidade que se esconde por detrás da realidade que vivemos possa decifrar o mistério.

XI

O JOVEM BARÃO ADRIAN ESTAVA ACAMADO no quarto de seus pais, pálido e imóvel. Se alguém pusesse o dedo em seu pulso sentiria o sangue ainda correndo, embora estivesse quase imperceptível. Ele não tinha recobrado os sentidos após o profundo desmaio, mas sua vida ainda não tinha se apagado.

Não havia médico em Bro, portanto um servo tinha cavalgado até Karlstad às quatro horas da manhã para tentar arranjar um. Era uma viagem de sessenta quilômetros, e caso o médico estivesse em casa e se dispusesse a deixar a cidade, era possível esperá-lo dentro de doze horas. Mas também era preciso se preparar para uma demora de um ou dois dias até que o médico chegasse.

A baronesa Löwensköld estava sentada ao lado da cama sem tirar os olhos do filho. Parecia crer que aquela suave fagulha de vida não se apagaria caso estivesse presente o tempo todo velando por ele.

O barão às vezes se sentava do outro lado da cama, mas não conseguia se manter parado. Tomava a mão inerte entre as suas e sentia o pulso, ia à janela e olhava em direção à estrada, dava uma volta para consultar o relógio da sala. Em seguida, respondia às perguntas ansiosas que podiam ser lidas nos olhos das filhas e da preceptora com um meneio de cabeça e voltava ao quarto do enfermo.

Ninguém mais podia entrar lá dentro a não ser a srta. Spaak. Nem as filhas, nem as criadas, somente a governanta. Ela tinha o andar correto, a voz correta; sabia se portar num quarto de doente.

A srta. Spaak acordara no meio da noite com o grito de Adrian. Quando, logo em seguida, escutou um som pesado de algo caindo, ela se levantou num pulo. Sem nem saber como, jogou uma roupa sobre o corpo, pois pertencia a suas sábias regras jamais sair correndo despida, já que dessa forma não se pode fazer nada de útil. Na sala ela se encontrou com a baronesa, que tinha vindo para chamar ajuda, e em seguida ela e os pais carregaram Adrian até o quarto. Inicialmente todos os três acreditavam que ele já estivesse morto, mas então a srta. Spaak notou uma suave pulsação no punho.

Eles empregaram algumas das usuais tentativas de reanimação, mas a fagulha de vida estava extremamente frágil, e tudo que faziam parecia apenas tomar-lhe as forças. Logo perderam o ânimo e não ousaram fazer mais nada. Era uma questão apenas de se resignar e esperar.

A baronesa gostou de ter a srta. Spaak consigo porque ela estava completamente calma e de todo convencida de que Adrian em breve voltaria a si. Permitia que a governanta tomasse conta dela, a deixava pentear seu cabelo e calçá-la. Quando era hora de trocar de roupa, a baronesa precisava se erguer, mas contava com a senhorita para abotoar e ajeitar o vestido, sem que precisasse tirar os olhos do filho.

A governanta entrava no quarto com uma xícara de café e a convencia a beber com doce insistência.

A baronesa tinha a sensação de que a srta. Spaak estava com ela o tempo todo, mas também estava na cozinha, tomando conta de tudo para que as pessoas como de costume tivessem o que comer. Ela não se esquecia nada. Estava pálida como a morte, mas não negligenciava seus afazeres. O café da manhã do barão estava na mesa na hora certa, e o menino pastor recebia sua merenda antes de sair tangendo as vacas.

Na cozinha, a criadagem perguntava o que tinha acontecido ao jovem barão, e a governanta respondia que a única coisa que se sabia era que ele tinha corrido aos pais e gritado algo sobre o general. Depois tinha desmaiado, e agora era impossível trazê-lo à vida.

— Com certeza o general apareceu para ele — disse a cozinheira.

— Não é impressionante que seja tão mal-educado na frente de alguém da família? — perguntava a criada.

— Ah, ele deve ter perdido a paciência. Não fizeram nada a não ser rir dele, que só queria ter seu anel de volta.

— Você acredita mesmo que o anel esteja aqui em Hedeby? — perguntou a criada. — Ele seria capaz de incendiar a casa sobre nossas cabeças para reaver o anel.

— Deve estar aqui em algum canto — disse a cozinheira —, senão ele não ficaria vagando pela casa.

A srta. Spaak nesse dia tomou uma exceção da sua bela regra de jamais escutar o que a criadagem tinha a dizer acerca dos patrões.

— O que é esse anel de que vocês estão falando? — perguntou ela.

— A senhorita não sabe que o general anda por aqui procurando seu anel de sinete? — disse a cozinheira encantada com aquela pergunta.

Ela e a criada se apressaram em inteirar a srta. Spaak sobre a história do saque ao túmulo e da sentença divina, e quando a governanta ficou sabendo de tudo, não duvidou um instante sequer de que o anel tinha chegado de alguma forma a Hedeby, onde estava escondido.

Um tremor sobreveio à srta. Spaak, quase igual ao que ela sentiu da primeira vez que encontrou o general no sótão. Era justamente isso que havia temido o tempo todo. Ela sabia como esses espectros podem ser cruéis e impiedosos. Para ela estava claro que, se o general não tivesse o anel de volta, o barão Adrian morreria.

Mas assim que chegara àquela conclusão, a srta. Spaak, que era uma pessoa resoluta, percebeu o que tinha que ser feito. Se aquele terrível anel estava em Hedeby, então deveriam procurar até encontrá-lo.

Ela entrou por um instante na casa principal, viu como estava a situação no quarto do enfermo, onde tudo seguia igual, subiu correndo as escadas e arrumou a cama no quarto de Adrian, para que estivesse feita caso ele melhorasse e pudesse ser carregado para ali. Depois entrou no cômodo onde estavam as meninas com a preceptora e as encontrou bastante assustadas, totalmente paralisadas. Ela lhes disse o tanto que sabia para que elas entendessem a situação e perguntou-lhes se não queriam ajudá-la a procurar o anel.

E, é claro, elas prontamente aceitaram. As meninas e a preceptora se ocuparam de procurar dentro da casa, nos quartos e no sótão. A srta. Spaak, por sua vez, foi às dependências da cozinha e pôs todas as criadas da casa em movimento.

O general aparece tanto na cozinha quanto na casa principal, pensou ela. *Algo me diz que o anel está aqui fora.*

Reviraram tudo de cabeça para baixo, tudo que havia na cozinha e na despensa, no forno e na cervejaria. Procuraram em rachaduras da parede e nas lareiras, esvaziaram os potes de especiarias e até mesmo tatearam as tocas dos ratos.

Durante as buscas, ela não se esquecia de por vezes atravessar o pátio correndo e visitar o quarto do doente. Em uma de suas visitas, notou que a baronesa estava chorando.

— Ele está pior — disse ela. — Creio que está morrendo.

A srta. Spaak se inclinou sobre Adrian, pegou a mão inerte entre as suas e tomou-lhe o pulso.

— Não, baronesa — disse —, não está pior, na verdade parece um pouco melhor.

Com isso, conseguiu acalmar a patroa, mas dentro de si sentia um grande desespero. Imagine, e se o jovem barão não sobrevivesse até que ela encontrasse o anel?

Em sua angústia, ela se esqueceu por um instante de tomar cuidado. Antes de soltar a mão de Adrian, fez-lhe uma leve carícia. Ela própria mal percebeu, mas a baronesa observou o gesto.

Mon Dieu, pensou a baronesa, *pobre criança, então é isso? Talvez eu devesse dizer algo para ela... mas não faz diferença, já que vamos perdê-lo. O general se enfureceu com ele, e aquele sobre quem recai a fúria do general deve morrer.*

Quando a srta. Spaak voltou para a cozinha, perguntou às criadas se havia na região alguma pessoa a quem costumavam chamar em casos graves como aquele. Estavam obrigados a esperar o médico chegar?

Sim, em outros casos, quando alguém se machucava, as pessoas chamavam Marit Eriksdotter, de Olsby. Ela sabia aplicar sangrias, pôr articulações no lugar certo, e conseguiria despertar o barão Adrian do sono da morte, mas provavelmente não aceitaria vir até Hedeby.

Enquanto a criada e a governanta falavam sobre Marit Eriksdotter, a cozinheira estava em cima de um degrau da escada, olhando na direção da prateleira ao alto onde antes as colheres de prata foram encontradas.

— Oh! — exclamou ela. — Vejam uma coisa que procurei por muito tempo. Eis o velho gorro do barão Adrian!

A srta. Spaak ficou escandalizada. Que tipo de organização devia imperar na cozinha antes de ela chegar a Hedeby! Como o gorro de Adrian tinha ido parar ali?

— Não é tão estranho assim — disse a cozinheira. — O gorro ficou pequeno e ele me deu para fazer pegador de panela. Foi realmente bom eu tê-lo encontrado.

A srta. Spaak tomou logo o gorro dela.

— É um pecado cortar esse gorro — disse. — Pode ser dado aos pobres.

Logo em seguida, ela o levou atravessando o pátio e começou a bater no gorro para tirar a poeira. Enquanto fazia isso, o barão saiu da casa e veio ao seu encontro.

— Nós achamos que Adrian piorou — disse ele.

— Há alguém nas redondezas entendido nas artes da cura? — perguntou a governanta com toda inocência. — As meninas falaram de uma mulher que se chama Marit Eriksdotter.

O barão ficou imóvel.

— Naturalmente eu não hesitaria em chamar meu pior inimigo quando se trata da vida de Adrian — disse ele. — Mas não serviria de nada. Marit Eriksdotter não virá a Hedeby.

A srta. Spaak não ousou contradizê-lo ao ouvir essa resposta. Seguiu procurando por toda a área da cozinha, preparou o jantar e fez com que mesmo a baronesa comesse alguma coisa. O anel não tinha sido encontrado, e a srta. Spaak repetia por vezes consigo mesma:

— Precisamos achar o anel. O general vai deixar que Adrian morra caso não encontremos o anel para ele.

À tardinha, a srta. Spaak caminhou até Olsby. Ela foi por sua própria vontade. Quando esteve dentro do quarto do enfermo, as batidas no pulso estavam mais fracas e em intervalos mais longos. Ela não tinha paciência para esperar pelo médico de Karlstad. Era mais que provável que Marit recusasse, mas a governanta não queria deixar nada por tentar.

Marit Eriksdotter estava sentada como de costume na escadaria diante da casa quando a srta. Spaak chegou. Marit não tinha nenhum trabalho entre as mãos, estava apenas inclinada para trás, de olhos fechados. Mas não estava dormindo. Levantou o olhar quando a governanta se aproximou e a reconheceu imediatamente.

— Veja só — disse ela —, estão me chamando em Hedeby?

— Marit, já soube como as coisas estão mal em nossa casa? — perguntou a srta. Spaak.

— Sim, ouvi falar — disse Marit. — E eu não vou.

A srta. Spaak não respondeu. Uma pesada desesperança a invadiu. Tudo estava contra ela, e essa recusa era o pior de tudo. Podia perceber que Marit estava contente. Ela permanecia sentada ali na escada, alegrando-se com a infelicidade, alegrando-se porque Adrian Löwensköld estava prestes a morrer.

Até então, a governanta tinha aguentado tudo. Ela não gritou, não se lamentou ao ver Adrian estirado no chão. Somente pensou em ajudá-lo e ajudar todos os outros. Mas a oposição de Marit fez ruir suas forças. Ela começou a chorar incontrolavelmente. Foi cambaleando até um muro cinza, onde apoiou a testa e ficou chorando e soluçando.

Marit se inclinou um pouco para a frente. Por um bom tempo, não tirou os olhos da pobre menina. *Ah, bom, então é isso?*, pensou ela.

No mesmo instante em que Marit observava aquela moça que chorava lágrimas de amor por seu amado, algo se passou em sua alma.

Duas horas mais cedo ela ficara sabendo que o general tinha aparecido diante de Adrian, quase o matando de susto. Na ocasião, ela disse a si mesma que a hora da vingança finalmente havia chegado. Marit tinha esperado por esse momento durante muitos anos, mas sempre em vão. O capitão de cavalaria Löwensköld já tinha o pé na cova sem jamais ter sofrido nenhum castigo. Sem dúvida, o general havia assombrado Hedeby desde a hora em que ela fez com que o anel fosse parar lá, mas parecia que ele se negava a perseguir sua gente com a crueldade costumeira.

Entretanto, agora a infelicidade recaía sobre eles, e imediatamente vieram a ela para pedir ajuda! Por que não iam também pedir ajuda aos que morreram na forca?

Ela tinha prazer em dizer: "*Eu não vou*". Era seu jeito de se vingar.

Mas quando viu a moça chorando com a cabeça contra o muro, isso lhe despertou uma lembrança. *Eu também estive assim chorando, encostada em um muro áspero. Não tinha ninguém em quem me apoiar.*

E de repente a fonte do amor juvenil transbordou dentro de Marit, enchendo-a com seu jorro quente. Completamente surpreendida, disse consigo mesma:

— Era assim que me sentia naquele tempo. Assim era a sensação de gostar de alguém. Assim era a sensação deliciosa e intensa.

Ela viu diante de seus olhos a imagem do jovem, alegre, forte e belo Paul Eliasson. Recordou seu olhar, sua voz, cada um de seus gestos. Todo seu coração se encheu dele.

Marit achava que o tinha amado por todo aquele tempo, e sem dúvida estava certa. Mas como os sentimentos esfriaram ao longo dos anos! Porém, naquele instante, sua alma ardia de novo com todo fervor.

Assim que o amor despertou dentro dela, Marit se lembrou também da dor terrível que inflige uma pessoa ao perder quem se ama.

Ela olhou para a srta. Spaak, que seguia chorando. Sabia como a moça se sentia. Momentos antes, a frieza dos anos a encobria. Ela tinha então se esquecido como o fogo ardia, mas agora se lembrava. Não queria ser motivo para alguém sofrer o que ela tinha sofrido, e assim se levantou e foi até a governanta.

— Vamos! Eu vou com você — disse sem mais delongas.

A srta. Spaak retornou então a Hedeby na companhia de Marit Eriksdotter. Por todo caminho Marit não falou uma palavra sequer. A governanta depois entendeu que ela tinha pensado ao longo do trajeto como faria para encontrar o anel.

A srta. Spaak acompanhou Marit até a entrada principal e a conduziu até o quarto. Lá tudo permanecia igual. Adrian jazia belo e pálido, imóvel como um cadáver, e a baronesa o velava sem se mexer. Somente quando Marit Eriksdotter se aproximou da cama, ela ergueu os olhos.

Tão logo reconheceu a mulher que estava diante de seu filho, a baronesa se afundou no chão diante dela e se agarrou em sua saia.

— Marit, Marit! — disse ela. — Não pense em todo mal que os Löwensköld lhe fizeram! Ajude-o, Marit! Ajude-o!

A camponesa se afastou um pouco, mas a pobre mãe não se desgrudava de seus joelhos.

— Você sabe o medo que eu tive desde que o general voltou a aparecer aqui. Eu temi e esperei o tempo todo. Eu sabia que ele voltaria seu ódio contra nós.

Marit permaneceu em silêncio. Fechou os olhos, absorta em seus pensamentos. A srta. Spaak tinha certeza de que Marit tinha prazer em escutar a baronesa falar de seu sofrimento.

— Eu quis ir até você, Marit, e me pôr de joelhos aos seus pés, como estou fazendo agora, e implorar seu perdão aos Löwensköld. Mas não tinha coragem. Pensei que seria impossível você nos perdoar.

— A baronesa não deve me pedir isso — disse Marit. — Pois é assim: eu não posso perdoar.

— Mas você não está aqui?

— Eu vim por causa da senhorita, porque ela me pediu.

Então Marit foi até o lado da cama. Pôs a mão sobre o peito do enfermo e murmurou algumas palavras. Ao mesmo tempo, franziu a testa, arqueou os olhos e apertou a boca. A srta. Spaak achou que ela se portava como sábias curandeiras costumam se portar.

— Ele vai sobreviver — disse Marit. — Mas saiba a baronesa que é única e exclusivamente por causa da srta. Spaak que vou ajudá-lo.

— Eu sei, Marit — respondeu a baronesa. — Nunca me esquecerei disso.

A governanta teve a impressão de que a patroa queria acrescentar algo, mas interrompeu-se e mordeu o lábio com firmeza.

— E agora, com a licença da baronesa, me deixem tomar conta de tudo.

— Marit, pode mandar e desmandar como quiser. O barão está fora de casa. Eu pedi a ele que cavalgasse em busca do médico para apressá-lo.

A srta. Spaak esperava que Marit Eriksdotter fizesse uma tentativa de despertar o jovem barão de seu estupor, mas, para seu grande desapontamento, ela não fez nada nesse sentido.

Em vez disso, Marit ordenou que se juntasse todas as roupas do barão Adrian, tanto as que ele usava então como aquelas que ele usara em anos passados e que ainda pudessem ser encontradas. Ela queria ver tudo que ele alguma vez pôs sobre o corpo, tanto meias como camisas, luvas e gorros.

Naquele dia não se fez mais nada em Hedeby a não ser procurar. Embora a srta. Spaak tenha suspirado ao notar que Marit nada mais era do que uma usual curandeira, com usuais artes de feitiços, apressou-se em procurar em todas as gavetas e sótãos, em caixas e armários, tudo que pertencia ao enfermo. As meninas, que tinham uma boa noção do que Adrian tinha usado, ajudaram-na, e em pouco tempo ela foi até Marit com um monte de roupas.

Marit estendeu as roupas sobre a mesa da cozinha e examinou cada peça. Um par de velhos sapatos ela pôs de lado, assim como um par de meias e uma camisa. Durante esse tempo, murmurava em um tom monótono e incessante:

"Um par aos pés, um par às mãos, um para o corpo e um para a cabeça."

— Preciso de algo para a cabeça — disse ela de repente com sua voz normal. — Preciso de algo que seja quente e macio.

A senhorita lhe mostrava os chapéus e boinas que tinha trazido.

— Não, tem que ser algo quente e macio — disse Marit. — O barão Adrian não tinha um gorro como os outros meninos?

A governanta estava prestes a responder que não tinha visto nenhum, mas a cozinheira se antecipou.

— Eu encontrei o velho gorro dele na prateleira lá de cima esta manhã, mas a governanta o tomou de mim.

Desse modo, a srta. Spaak teve que entregar o gorro do qual ela tencionava jamais se separar, para conservá-lo como uma doce lembrança até o fim de seus dias.

Quando Marit recebeu o gorro, começou novamente a murmurar sua litania, mas com outro som na voz. Soava como um gato ronronando de satisfação.

— Agora — disse depois de ficar muito tempo murmurando sobre o gorro, que virava e torcia —, agora não precisa de mais nada. Mas essas roupas devem ser colocadas no túmulo do general.

Ao escutar essas palavras, a srta. Spaak ficou completamente confusa.

— Marit, como pode pensar que o barão permitiria abrir o jazigo para colocar lá essa porcaria velha? — perguntou ela.

Marit olhou para ela com um leve sorriso. Tomou a srta. Spaak pela mão e a conduziu até a janela, fazendo com que dessem as costas a todos os outros que estavam na cozinha. Em seguida, Marit ergueu o gorro de Adrian diante dos olhos da governanta, e separou com os dedos os fios esgarçados do grande pompom.

Não disse nenhuma palavra, e nenhuma palavra disse a srta. Spaak, que quando se virou em direção aos demais estava pálida de morte, com as mãos tremendo.

Marit fez um pequeno fardo com as vestimentas selecionadas e o entregou à governanta.

— Já fiz minha parte — disse ela —, agora é com vocês. Façam com que isso seja posto no túmulo.

E depois foi embora.

A srta. Spaak foi até o cemitério um pouco depois das dez da noite. Ela trazia o pequeno fardo de roupas, mas, fora isso, era como se fosse uma caminhada ao acaso. Como faria para pôr as coisas no jazigo do general, não tinha a menor ideia.

O barão Löwensköld tinha chegado a cavalo em companhia do médico logo após Marit seguir seu caminho, e a governanta teve esperança de que o médico conseguisse despertar Adrian sem que ela tivesse que prosseguir naquele intento. Mas o médico em seguida explicou que já não tinha nada a fazer. Afirmou que ao jovem restavam somente algumas horas de vida.

Então a srta. Spaak tomou o fardo entre os braços e se pôs a caminho. Sabia que não havia possibilidade de convencer o barão Löwensköld a mandar erguer as lajes e abrir o jazigo somente para depositar lá dentro algumas velhas roupas do barão Adrian.

Caso lhe dissesse o que realmente havia no fardo, tinha certeza de que ele imediatamente devolveria o anel ao seu verdadeiro dono, mas dessa forma ela cometeria uma traição contra Marit Eriksdotter.

Não tinha dúvida de que fora Marit que, no passado, tinha arranjado para que o anel chegasse a Hedeby. O barão Adrian havia mencionado que Marit certa vez tinha remendado seu gorro. Não, a governanta não ousava permitir que o barão soubesse da relação entre todos esses fatos.

A srta. Spaak depois notou como foi estranho não sentir nenhum medo naquela noite. Pulou o muro baixo do cemitério e andou até o jazigo dos Löwensköld sem pensar em outra coisa senão uma forma de pôr o anel no interior do túmulo.

Ela se sentou sobre as lajes e uniu as mãos em oração.

Se Deus não me ajudar, esse jazigo vai se abrir não para o anel, mas para alguém por quem vou lamentar eternamente.

Durante sua prece, a moça notou um pequeno movimento na grama que cobria o pequeno monte sobre o qual repousavam as lápides. Uma cabecinha surgia e desaparecia, fazendo a jovem estremecer — pois tinha tanto medo de rato quanto os ratos tinham medo dela. Mas isso fez nascer nela um impulso repentino. Correu até um grande arbusto de lilás, quebrou um galho longo e seco e o enfiou na toca do rato.

Ela o enfiou primeiro em linha reta, mas o galho encontrou resistência. Depois tentou virá-lo na diagonal para baixo, e então o galho entrou bastante na direção do túmulo. A governanta se espantou com a profundidade da toca, pois o galho inteiro desapareceu. Ela o puxou rapidamente de volta e o mediu com o braço. Tinha o tamanho de três côvados e havia entrado na terra com todo seu comprimento. O galho devia ter alcançado o caixão.

Em toda sua vida, a srta. Spaak nunca tinha estado tão lúcida e decidida. Ela compreendeu que os ratos deviam ter perfurado um caminho até o caixão. Talvez houvesse um rompimento na parede, ou talvez um tijolo pudesse ter se soltado.

Ela se deitou no chão, arrancou um torrão de grama, cavou a terra mole e enfiou o braço. Chegou bem fundo sem obstáculos, mas não conseguiu atingir o túmulo. Seu braço não era longo o bastante.

Então rapidamente desfez o fardo e apanhou o gorro. Colocou-o na ponta do galho e tentou lentamente empurrá-lo para dentro do buraco. Logo havia desaparecido. Ela conduziu o galho com a mesma lentidão e cuidado, mais e mais fundo. De repente, quando quase todo o galho estava dentro da terra, sentiu um forte puxão que o arrancou da sua mão.

Era possível que tivesse caído devido ao próprio peso, mas ela tinha certeza de que fora puxado de sua mão.

E então finalmente sentiu medo. A governanta pegou o que restava do fardo, enfiou no buraco, pôs terra e grama por cima ajeitando o melhor que podia, e voltou para casa.

Não andou sequer um passo, foi correndo o caminho todo até chegar a Hedeby.

Quando alcançou o pátio, estavam o barão e a baronesa à porta. Foram até ela com urgência.

— Onde esteve? — eles lhe perguntaram. — Estamos aqui esperando por você!

— O barão Adrian morreu? — perguntou a srta. Spaak.

— Não, ele não morreu — disse o barão. — Mas diga primeiro onde esteve!

A menina estava com falta de ar e mal podia falar, mas contou sobre o encargo que Marit lhe dera e disse que tinha conseguido ao menos pôr uma das roupas dentro do jazigo através de uma toca de rato.

— Isso é muito estranho, srta. Spaak — disse o barão —, pois Adrian está realmente melhor. Ele acordou há um breve instante, e suas primeiras palavras foram: o general recebeu o anel de volta.

— O coração dele bate como antes — disse a baronesa —, e ele quer urgentemente falar com a senhorita. Ele diz que foi você quem o salvou.

Eles permitiram que a srta. Spaak entrasse sozinha para ver Adrian. Ele estava sentado na cama e abriu os braços ao vê-la.

— Eu sei, eu já sei! — exclamou ele. — O general recebeu o anel de volta, e foi graças à senhorita!

A srta. Spaak ria e chorava entre os braços de Adrian, e ele a beijava na testa.

— Eu agradeço à senhorita por minha vida — disse ele. — Eu seria um cadáver frio como a noite neste momento se não fosse pela senhorita. Por tamanho feito não se pode jamais agradecer o bastante.

O enlevo com que o jovem a recebeu talvez tenha feito com que a pobre srta. Spaak permanecesse tempo demais em seus braços. Ele se apressou em acrescentar:

— Não sou somente eu que agradeço. Há outra pessoa também.

Ele mostrou a ela um medalhão que trazia ao pescoço. A srta. Spaak divisou com dificuldade o retrato em miniatura de uma jovem.

— A senhorita é a primeira depois dos meus pais a ficar sabendo — disse ele. — Quando ela vier a Hedeby em algumas semanas, ela agradecerá a senhorita ainda mais do que eu sou capaz.

A srta. Spaak fez uma reverência ao jovem barão em agradecimento à sua confiança. Ela gostaria de ter dito a ele que não tinha a intenção de permanecer em Hedeby para receber a sua noiva. Mas tomou juízo a tempo. Uma moça pobre deve pensar bem antes de recusar uma boa colocação.

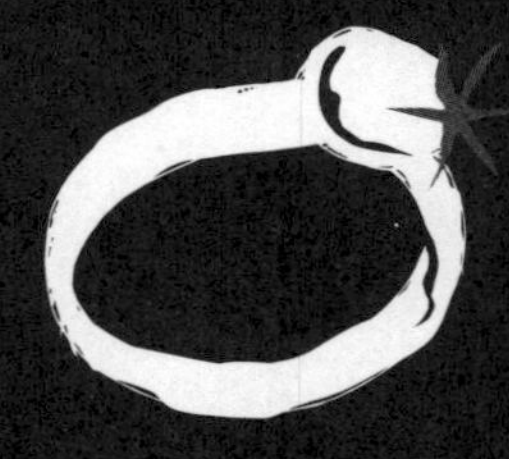

Trilogia Löwensköld

de Selma Lagerlöf

LIVRO UM

O Anel dos Löwensköld

LIVRO DOIS

Charlotte Löwensköld

LIVRO TRÊS

Anna Svärd

Selma Lagerlöf

VIDA E OBRAS DA PRIMEIRA MULHER VENCEDORA DO NOBEL DE LITERATURA

Por ***Helena Forsås-Scott***

Na primeira biografia detalhada sobre a autora sueca Selma Lagerlöf (1858-1940), Elin Wägner apresentou um retrato de Lagerlöf – na época, com 75 anos – que oferece uma ideia da extensão de suas conquistas e atribuições. Sentada em seu escritório na biblioteca de Mårbacka, perto de clássicos que vão de Homero a Ibsen, Lagerlöf também consegue visualizar diversas prateleiras com traduções de seus livros. Atrás dela, não há apenas obras autorais e estudos sobre ela, mas também várias bandejas de madeira com etiquetas que organizam as correspondências: Países Bálticos, Bélgica, Holanda, Dinamarca, Noruega, Inglaterra, França, Itália, Finlândia, Alemanha, Suécia, Suíça, Países Eslavos, Áustria-Hungria, Bonnier (editora sueca), Langen (editora alemã), a Academia Sueca, imprensa, familiares e amigos, bens valiosos, aveia de Mårbacka, afazeres diversos, entre outras. A declaração feita por Lagerlöf, alguns anos antes, para sua biógrafa Elin Wägner, em que diz que pelo menos contribuiu para o crescimento turístico de Värmland – província onde ela nasceu –, foi obviamente uma brincadeira.

Então, como Selma Lagerlöf, uma mulher nascida numa família provinciana sueca de classe média em meados do século XIX, produziu obras tão relevantes (dezesseis romances e contos divididos em sete volumes) e alcançou tanto *status* e fama com elas?

Por terem crescido em Mårbacka, uma fazenda na província de Värmland, numa época em que a economia sueca era predominantemente agrícola, Selma Lagerlöf e suas irmãs aprenderam o necessário para manter a casa funcionando de maneira autônoma; no entanto, as chances de conseguirem uma instrução além da fornecida pela governanta eram quase inexistentes. Ainda assim, Selma Lagerlöf conseguiu dinheiro emprestado e se mudou para Estocolmo, onde passou três anos em formação para se tornar professora – uma das únicas profissões permitidas para mulheres na época. Após concluir seus estudos em 1885, ela passou dez anos ensinando em Landskrona, no sul da Suécia, numa escola só para garotas. Mårbacka tinha sido vendida num leilão em 1888, e Lagerlöf, que só renunciou ao cargo de professora quatro anos depois da publicação de seu primeiro romance, estabeleceu-se como escritora em uma Suécia bem diferente daquela em que havia crescido. No país, a industrialização fora tardia, mas rápida, e os textos de Lagerlöf encontraram novos leitores e leitoras dentro da classe trabalhadora das cidades.

Lagerlöf se manteve ativa até a década de 1930. Ela publicou majoritariamente romances e contos, mas também escreveu livros didáticos para crianças em idade escolar, logo ganhando reconhecimento na forma de homenagens e prêmios, como o título de Doutora Honoris Causa pela Universidade de Uppsala, em 1907; o Prêmio Nobel de Literatura, em 1909, sendo a primeira mulher a recebê-lo; e um lugar na Academia Sueca, em 1914, também sendo a primeira mulher nomeada como membro. Lagerlöf também foi uma participante valiosa e ativa na campanha pelo direito ao voto feminino, que chegou apenas em 1919 na Suécia. Além disso, ela também readquiriu Mårbacka – tanto a casa em si quanto a fazenda –, e, de 1910 em diante, aliou seu trabalho como escritora ao de proprietária de um grande patrimônio com vários funcionários.

Segundo Vivi Edström, uma das mais recentes biógrafas de Lagerlöf, ela "sabia contar uma história sem arruiná-la", mas seu inovador estilo literário, por ter tanta afinidade com a língua falada, exigia trabalho duro e muita experimentação. Em 1908, numa carta, Lagerlöf declara que "nós, autores, consideramos que um livro está perto de ser concluído assim que encontramos a maneira em que ele se permite ser escrito".

A Saga de Gösta Berling (*Gösta Berlings saga*, 1891), seu primeiro romance, demorou um tempo para ser finalizado, visto que Lagerlöf quis experimentar vários gêneros e estilos antes de se contentar com um tipo de prosa ficcional exuberante e criativa que é rica em intertextualidade e frequentemente conversa com o leitor ou leitora. Ambientada em Värmland, na década de 1820, e tendo o jovem e talentoso Gösta Berling como herói, a narrativa exalta as festas, bailes e aventuras românticas que ocorreram durante o "ano dos cavaleiros" na fundição de ferro de Ekeby. A expulsão da esposa do major, protetora dos cavaleiros, serve como pano de fundo para a história, e após sua peregrinação de um ano – período que resultou no desgoverno dos cavaleiros –, é o trabalho árduo e a responsabilidade pública que servem como bases para o futuro.

Em *As Rainhas de Kungahälla* (*Drottningar i Kungahälla*, 1899), Lagerlöf reuniu vários contos e um poema épico ambientado em Kungälv, ao norte de Gotemburgo, na Era Viking. Sua intenção era explorar um pouco a temática abordada pelo escritor medieval islandês Snorri Sturluson em sua compilação de sagas, a *Heimskringla*, mas sob a perspectiva das personagens femininas. A narrativa concisa de *O Tesouro* (*Herr Arnes Penningar*, 1903) possui um enredo que gira em torno de assassinato e roubo, fantasmas, amor e castigos eventuais, além de ser ambientado no século XVI, o que reforça a ultrapassagem de limites e as ambivalências. Antes dele, foi publicado o pequeno romance *A Lenda de uma Quinta Senhorial* (*En herrgårdssägen*, 1899), que também transcende os limites do conhecido ao explorar temas como música e sonhos, insanidade e sanidade, morte e vida, mas dentro da relação emergente entre dois jovens – uma mulher e um homem.

Algumas linhas num jornal incentivaram Lagerlöf a escrever seu maior projeto literário desde *A Saga de Gösta Berling*, o romance *Jerusalém* (1901-1902), que foi dividido em duas partes e abriu caminho para o Prêmio Nobel da autora no final da década. O enredo, que fala diretamente sobre emigração – comum na Suécia desde 1860 –, explora a vida de uma comunidade rural na província de Dalarna e a mudança de parte dela para Jerusalém. As sagas medievais islandesas inspiraram o estilo da obra, e ainda que o enfoque na emigração estabeleça uma conexão temática com elas, a inversão de padrões já conhecidos nas sagas, como batalhas sangrentas e brigas familiares, torna-se mais evidente conforme a trama coloca as conquistas pacíficas e a compreensão internacional em primeiro plano. Ainda assim, *Jerusalém* é, antes de tudo, uma obra em que estruturas tradicionais já estabilizadas são destruídas, relações familiares e relacionamentos amorosos são falhos, e a eventual reconciliação entre novo e velho custa caro.

Em 1901, Lagerlöf tinha sido encarregada de escrever um livro didático, mas isso foi bem antes de ela pensar em apresentar a geografia, a economia, a história e a cultura das províncias suecas por meio da trajetória de um menino que atravessa o país nas costas de um ganso. Enquanto escrevia *A Maravilhosa Viagem de Nils Holgersson através da Suécia* (*Nils Holgerssons underbara resa genom Sverige*, 1906-1907), Lagerlöf não achava que o livro teria leitores ou leitoras fora da Suécia; no entanto, ele viria a ser seu maior sucesso internacional. O romance, que antes era considerado um obstáculo para a obtenção do Nobel de Literatura da autora, hoje é visto como complexo e inovador.

A Carruagem Fantasma (*Körkarlen*, 1912) foi um pedido da *Associação Sueca de Combate à Tuberculose*, e era para ser um conto, mas logo se transformou num romance. Na obra, uma vítima de tuberculose que morreu na véspera do Ano-Novo está destinada a conduzir a carruagem da morte durante todo o ano seguinte, e só consegue descansar e ser perdoada pelos seus erros graças ao amor e afeto das outras pessoas. Em 1921, o romance serviu como base para um dos filmes mais conhecidos do cinema mudo sueco, tendo Victor Sjöström como diretor e protagonista, além de Julius Jaenzon e sua cinematografia revolucionária.

A Primeira Guerra Mundial foi difícil para Lagerlöf, pois seus leitores e leitoras – tanto na Suécia quanto fora dela – esperavam fortes declarações da autora contra a guerra; contudo, ela sentia que os eventos políticos estavam drenando sua criatividade. *O Imperador de Portugal* (*Kejsarn av Portugallien*, 1914) não é apenas um romance sobre o milagre de uma criança recém-nascida e o amor de um pai pela filha, é também um texto sobre um mundo de fantasia que surge em resposta às pressões externas, e, além disso, é sobre as perspectivas e o suporte que este mundo aparentemente louco pode fornecer. Jan, o personagem principal, assume a posição de forasteiro na narrativa, o que permite pontos de vista mais críticos e inovadores sobre a sociedade. Em *Bannlyst* (O Banido), de 1918, obra de Lagerlöf com uma proposta bem mais pacifista, o personagem Sven Elversson fez o mesmo.

A trilogia composta por *O Anel dos Löwensköld* (*Löwensköldska ringen*, 1925), *Charlotte Löwensköld* (1925) e *Anna Svärd* (1928) é bem diferente dos textos escritos por Lagerlöf na época da guerra, pois é divertida e séria ao mesmo tempo. Ela também possui uma narrativa original que brinca com ambiguidades e múltiplas interpretações, podendo até desestabilizar, de modo retrospectivo, interpretações já feitas nas outras obras de Lagerlöf. A trilogia começa questionando as ações cometidas pelo fantasma do velho guerreiro, o general Löwensköld, depois segue a queda de Karl-Artur Ekenstedt, um jovem e promissor ministro da Igreja Estatal Luterana, desenvolvendo ambos enquanto destaca várias personagens femininas fortes e independentes; dessa maneira, os textos exploram e celebram a capacidade e o poder da narrativa.

Mais tarde, Lagerlöf escreveu outra trilogia que, com frequência, tem sido considerada autobiográfica. *Mårbacka* (1922), *Ett barns memoarer* (1930; *Memórias de Minha Infância*) e *O Diário de Selma Lagerlöf* (*Dagbok för Selma Ottilia Lovisa Lagerlöf*, 1932) são todos narrados em primeira pessoa. Os dois primeiros, com seus contos sobre os Lagerlöf, familiares, amigos, moradores locais e atividades que faziam parte da vida em Mårbacka nas décadas de 1860 e 1870, podem, sem dúvida, ser contadas como histórias num final de tarde junto à família. O terceiro, inicialmente, era para ser o próprio diário escrito por uma Selma Lagerlöf de quatorze anos. Birgitta Holm, em seu estudo psicanalítico sobre os textos de Lagerlöf (1984), interpreta a trilogia *Mårbacka* de maneira inovadora e destaca que

O Diário de Selma Lagerlöf fornece as chaves para outras obras da autora. Ulla-Britta Lagerroth interpretou a trilogia como uma exposição gradual do patriarcado, mas, com Selma Lagerlöf no centro da narrativa, ela também pode ser lida como uma ampla e lúdica exploração de questões de gênero, escrita e fama.

Com a publicação de várias cartas escritas por Lagerlöf à amiga Sophie Elkan (1994), à mãe (1998), à amiga e assistente Valborg Olander (2006) e às amigas Anna Oom e Elise Malmros (2009-2010) nas últimas décadas, nosso conhecimento prévio sobre a autora se transformou, sem dúvida alguma, em algo mais complexo. Embora o enfoque de muitas das pesquisas iniciais sobre ela fosse biográfico, diversos estudos suecos centrados nos textos da autora foram publicados em 1958, ano em que ela faria cem anos. No final da década de 1990, uma nova onda de pesquisas sobre Lagerlöf surgiu na Suécia, explorando áreas como gêneros textuais, narrativa, questões de gênero e estética; a tradução, recepção e impacto dos textos de Lagerlöf no exterior se tornou um campo de estudo cada vez mais importante, sendo analisado por pesquisadores e pesquisadoras em países como Estados Unidos, Reino Unido, Japão e na própria Suécia. Pesquisas atuais estão se aprofundando nas inter-relações entre a mídia em Lagerlöf, estudos de desempenho, transmissões culturais e investigações de arquivos. Ainda não há uma edição acadêmica completa das obras de Lagerlöf, mas graças ao Arquivo Selma Lagerlöf (*Selma Lagerlöf-arkivet*, disponível em litteraturbanken.se), uma edição acadêmica digital está a caminho. Em 2013, três obras foram lançadas: *A Saga de Gösta Berling*, *Laços Invisíveis* e *A Carruagem Fantasma*.

Ao completar 80 anos, em 1938, Selma Lagerlöf já era a escritora sueca mais traduzida de todos os tempos, e hoje suas obras têm edições em quase cinquenta idiomas. Entretanto, a maior parte das traduções para o inglês foram feitas assim que os textos originais em sueco foram publicados – e, ao contrário dos textos originais, as traduções logo ficam ultrapassadas. Além disso, como Peter Graves afirmou, em um estudo sobre Lagerlöf no Reino Unido, “Lagerlöf não foi bem tratada pelos seus tradutores e tradutoras [da língua inglesa]”. *Lagerlöf in English* (Lagerlöf em Inglês), um conjunto de novas traduções publicado em 2011 pela Editora Norvik Press, procurou consertar essa situação.

Helena Forsås-Scott (1945-2015) foi a primeira editora de *Lagerlöf in English*. Este ensaio, escrito como uma introdução aos livros da coletânea publicada pela Norvik Press no Reino Unido, foi traduzido por Nathalia Amaya Borges e publicado com permissão.

Agradecemos a Norvik Press, a Sarah Death e a família de Helena Forsås-Scott pela autorização.

BIBLIOGRAFIA

Carlsson, Lena (ed), *Selma, Anna och Elise: brevväxling mellan Selma Lagerlöf, Anna Oom och Elise Malmros åren 1886–1937*. Landskrona: Litorina, 2009–20.

Edström, Vivi, *Selma Lagerlöf*. Stockholm: Natur och Kultur, 1991.

Graves, Peter, 'The reception of Selma Lagerlöf in Britain', in *Selma Lagerlöf Seen From Abroad*, ed. Louise Vinge, Kungliga Vitterhets och Antikvitets Akademien, Konferenser 44, 1998.

Holm, Birgitta, *Selma Lagerlöf och ursprungets roman*. Stockholm: Norstedts, 1984.

Lagerlöf, Ulla-Britta, 'Selma Selmissima – en stark personlighet', *Parnass*, 1994, no. 5.

Toijer-Nilsson, Ying (ed), *Du lär mig att bli fri: Selma Lagerlöf skriver till Sophie Elkan*. Stockholm: Albert Bonniers förlag, 1992.

Toijer-Nilsson, Ying (ed), *Mammas Selma: Selma Lagerlöfs brev till modern*. Stockholm: Albert Bonniers förlag, 1998.

Toijer-Nilsson, Ying (ed), *En riktig författarhustru: Selma Lagerlöf skriver till Valborg Olander*. Stockholm: Albert Bonniers förlag, 2006.

Wägner, Elin, *Selma Lagerlöf*, Albert Bonniers Förlag, 1942.

Esta obra foi financiada por meio da *Sociedade das Relíquias Literárias*, uma campanha recorrente que auxilia na manutenção de trabalhos para os profissionais e entrega contos digitais todos os meses para os apoiadores.

O Anel dos Löwensköld é uma meta estendida semestral alcançada, na qual todos os apoiadores receberam o e-book da obra.

Para que todos os leitores pudessem também ter acesso a este tesouro de 1925, o livro está hoje impresso em suas mãos. Agradecemos a você e aos mais de mil apoiadores da campanha até agora.

Para participar da Sociedade, visite:
catarse.me/sociedadeliteraria